# CANADA
## 1991

HAPPY CHRISTMAS!

Lots of love

Katy

x

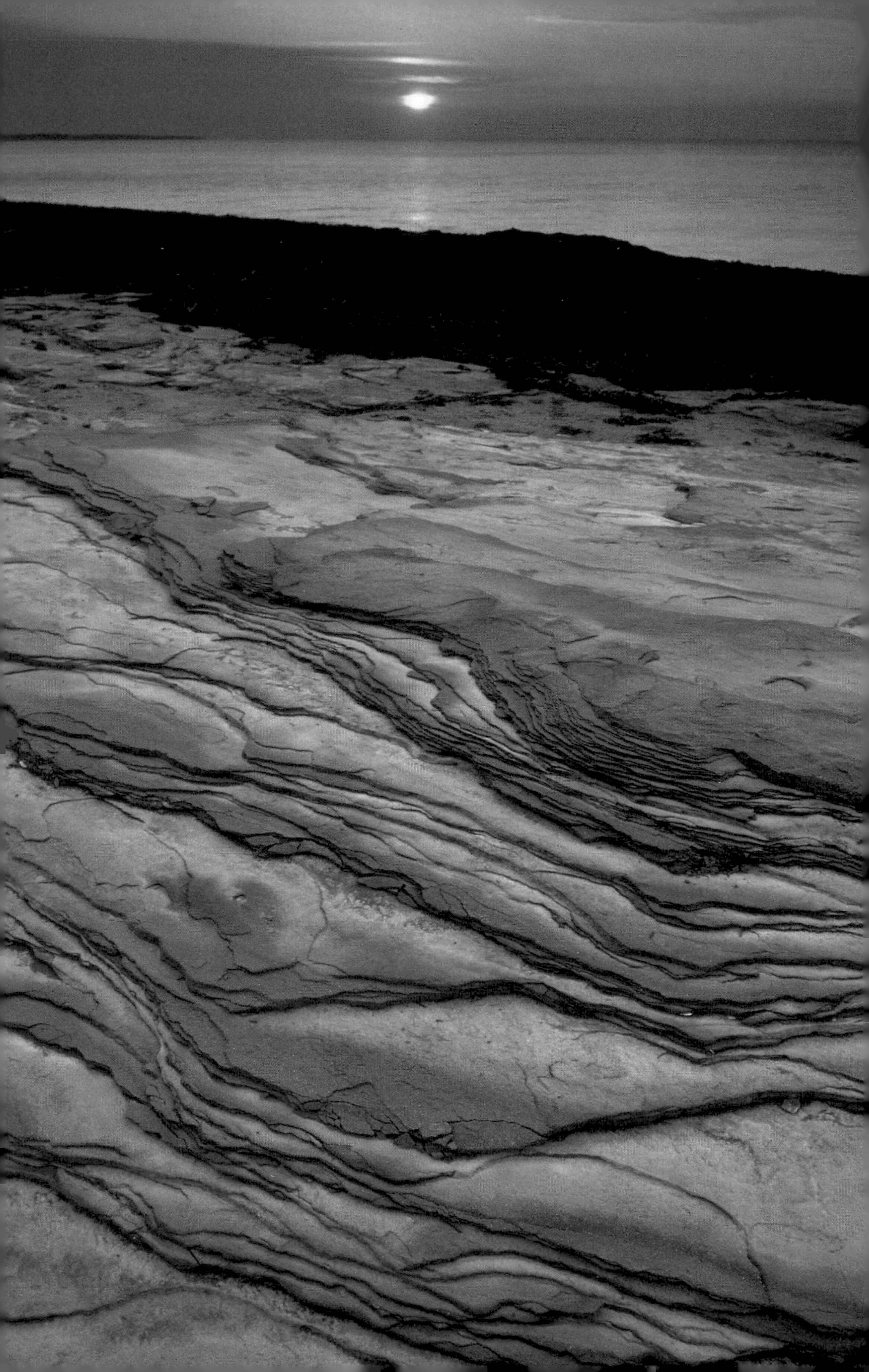

# CANADA 1991

*Engagement Diary*

*Agenda*

*Firefly Books Ltd.*

*Masterfile*

Firefly Books Ltd.
250 Sparks Avenue
Willowdale, Ontario, Canada
M2H 2S4

All Images Supplied by
Masterfile
415 Yonge Street
Suite 200
Toronto, Ontario, Canada
M5B 2E7

Design
DUO Strategy and Design Inc.

Typesetting and Pagination
On-line Graphics

ISBN 0-920668-66-6



Printed in Canada

COVER:

Killarney Provincial Park,
Ontario

*Parc provincial Killarney,*
*Ontario*

PHOTO: GREGG STOTT
MASTERFILE

# 1991

January • janvier

| s | m | t | w | t | f | s |
|---|---|---|---|---|---|---|
| | | 1 | 2 | 3 | 4 | 5 |
| 6 | 7 | 8 | 9 | 10 | 11 | 12 |
| 13 | 14 | 15 | 16 | 17 | 18 | 19 |
| 20 | 21 | 22 | 23 | 24 | 25 | 26 |
| 27 | 28 | 29 | 30 | 31 | | |

February • février

| s | m | t | w | t | f | s |
|---|---|---|---|---|---|---|
| | | | | | 1 | 2 |
| 3 | 4 | 5 | 6 | 7 | 8 | 9 |
| 10 | 11 | 12 | 13 | 14 | 15 | 16 |
| 17 | 18 | 19 | 20 | 21 | 22 | 23 |
| 24 | 25 | 26 | 27 | 28 | | |

March • mars

| s | m | t | w | t | f | s |
|---|---|---|---|---|---|---|
| | | | | | 1 | 2 |
| 3 | 4 | 5 | 6 | 7 | 8 | 9 |
| 10 | 11 | 12 | 13 | 14 | 15 | 16 |
| 17 | 18 | 19 | 20 | 21 | 22 | 23 |
| 24 | 25 | 26 | 27 | 28 | 29 | 30 |
| 31 | | | | | | |

April • avril

| s | m | t | w | t | f | s |
|---|---|---|---|---|---|---|
| | 1 | 2 | 3 | 4 | 5 | 6 |
| 7 | 8 | 9 | 10 | 11 | 12 | 13 |
| 14 | 15 | 16 | 17 | 18 | 19 | 20 |
| 21 | 22 | 23 | 24 | 25 | 26 | 27 |
| 28 | 29 | 30 | | | | |

May • mai

| s | m | t | w | t | f | s |
|---|---|---|---|---|---|---|
| | | | 1 | 2 | 3 | 4 |
| 5 | 6 | 7 | 8 | 9 | 10 | 11 |
| 12 | 13 | 14 | 15 | 16 | 17 | 18 |
| 19 | 20 | 21 | 22 | 23 | 24 | 25 |
| 26 | 27 | 28 | 29 | 30 | 31 | |

June • juin

| s | m | t | w | t | f | s |
|---|---|---|---|---|---|---|
| | | | | | | 1 |
| 2 | 3 | 4 | 5 | 6 | 7 | 8 |
| 9 | 10 | 11 | 12 | 13 | 14 | 15 |
| 16 | 17 | 18 | 19 | 20 | 21 | 22 |
| 23 | 24 | 25 | 26 | 27 | 28 | 29 |
| 30 | | | | | | |

July • juillet

| s | m | t | w | t | f | s |
|---|---|---|---|---|---|---|
| | 1 | 2 | 3 | 4 | 5 | 6 |
| 7 | 8 | 9 | 10 | 11 | 12 | 13 |
| 14 | 15 | 16 | 17 | 18 | 19 | 20 |
| 21 | 22 | 23 | 24 | 25 | 26 | 27 |
| 28 | 29 | 30 | 31 | | | |

August • août

| s | m | t | w | t | f | s |
|---|---|---|---|---|---|---|
| | | | | 1 | 2 | 3 |
| 4 | 5 | 6 | 7 | 8 | 9 | 10 |
| 11 | 12 | 13 | 14 | 15 | 16 | 17 |
| 18 | 19 | 20 | 21 | 22 | 23 | 24 |
| 25 | 26 | 27 | 28 | 29 | 30 | 31 |

September • septembre

| s | m | t | w | t | f | s |
|---|---|---|---|---|---|---|
| 1 | 2 | 3 | 4 | 5 | 6 | 7 |
| 8 | 9 | 10 | 11 | 12 | 13 | 14 |
| 15 | 16 | 17 | 18 | 19 | 20 | 21 |
| 22 | 23 | 24 | 25 | 26 | 27 | 28 |
| 29 | 30 | | | | | |

October • octobre

| s | m | t | w | t | f | s |
|---|---|---|---|---|---|---|
| | | 1 | 2 | 3 | 4 | 5 |
| 6 | 7 | 8 | 9 | 10 | 11 | 12 |
| 13 | 14 | 15 | 16 | 17 | 18 | 19 |
| 20 | 21 | 22 | 23 | 24 | 25 | 26 |
| 27 | 28 | 29 | 30 | 31 | | |

November • novembre

| s | m | t | w | t | f | s |
|---|---|---|---|---|---|---|
| | | | | | 1 | 2 |
| 3 | 4 | 5 | 6 | 7 | 8 | 9 |
| 10 | 11 | 12 | 13 | 14 | 15 | 16 |
| 17 | 18 | 19 | 20 | 21 | 22 | 23 |
| 24 | 25 | 26 | 27 | 28 | 29 | 30 |

December • décembre

| s | m | t | w | t | f | s |
|---|---|---|---|---|---|---|
| 1 | 2 | 3 | 4 | 5 | 6 | 7 |
| 8 | 9 | 10 | 11 | 12 | 13 | 14 |
| 15 | 16 | 17 | 18 | 19 | 20 | 21 |
| 22 | 23 | 24 | 25 | 26 | 27 | 28 |
| 29 | 30 | 31 | | | | |

FRONTISPIECE:

PEI National Park,
Cavendish,
Prince Edward Island

*Parc national de l'Île-du-Prince-Édouard,*
*Cavendish,*
*Île-du-Prince-Édouard*

PHOTO: MARK TOMALTY/
MASTERFILE

# *January* • janvier

**30** Sunday December
*dimanche décembre*

**31** Monday December
*lundi décembre*

**1** Tuesday January
*mardi janvier*

New Year's Day
*Jour de l'an*

**2** Wednesday
*mercredi*

**3** Thursday
*jeudi*

**4** Friday
*vendredi*

**5** Saturday
*samedi*

Mont Tremblant
Quebec

*Mont Tremblant,*
*Québec*

PHOTO: SHERMAN HINES/
MASTERFILE

December · décembre

| s | m | t | w | t | f | s |
|---|---|---|---|---|---|---|
| | | | | | | 1 |
| 2 | 3 | 4 | 5 | 6 | 7 | 8 |
| 9 | 10 | 11 | 12 | 13 | 14 | 15 |
| 16 | 17 | 18 | 19 | 20 | 21 | 22 |
| 23 | 24 | 25 | 26 | 27 | 28 | 29 |
| 30 | 31 | | | | | |

January · janvier

| s | m | t | w | t | f | s |
|---|---|---|---|---|---|---|
| | | 1 | 2 | 3 | 4 | 5 |
| 6 | 7 | 8 | 9 | 10 | 11 | 12 |
| 13 | 14 | 15 | 16 | 17 | 18 | 19 |
| 20 | 21 | 22 | 23 | 24 | 25 | 26 |
| 27 | 28 | 29 | 30 | 31 | | |

February · février

| s | m | t | w | t | f | s |
|---|---|---|---|---|---|---|
| | | | | | 1 | 2 |
| 3 | 4 | 5 | 6 | 7 | 8 | 9 |
| 10 | 11 | 12 | 13 | 14 | 15 | 16 |
| 17 | 18 | 19 | 20 | 21 | 22 | 23 |
| 24 | 25 | 26 | 27 | 28 | | |

# *January* · janvier

**6** Sunday *dimanche*

**7** Monday *lundi*

**8** Tuesday *mardi*

**9** Wednesday *mercredi*

**10** Thursday *jeudi*

**11** Friday *vendredi*

**12** Saturday *samedi*

Port Hope Harbour
Lake Ontario, Ontario

*Havre de Port Hope,*
*Lac Ontario, Ontario*

PHOTO: JOHN DE VISSER/
MASTERFILE

December · décembre

| s | m | t | w | t | f | s |
|---|---|---|---|---|---|---|
| | | | | | | 1 |
| 2 | 3 | 4 | 5 | 6 | 7 | 8 |
| 9 | 10 | 11 | 12 | 13 | 14 | 15 |
| 16 | 17 | 18 | 19 | 20 | 21 | 22 |
| 23 | 24 | 25 | 26 | 27 | 28 | 29 |
| 30 | 31 | | | | | |

January · janvier

| s | m | t | w | t | f | s |
|---|---|---|---|---|---|---|
| | | 1 | 2 | 3 | 4 | 5 |
| 6 | 7 | 8 | 9 | 10 | 11 | 12 |
| 13 | 14 | 15 | 16 | 17 | 18 | 19 |
| 20 | 21 | 22 | 23 | 24 | 25 | 26 |
| 27 | 28 | 29 | 30 | 31 | | |

February · février

| s | m | t | w | t | f | s |
|---|---|---|---|---|---|---|
| | | | | | 1 | 2 |
| 3 | 4 | 5 | 6 | 7 | 8 | 9 |
| 10 | 11 | 12 | 13 | 14 | 15 | 16 |
| 17 | 18 | 19 | 20 | 21 | 22 | 23 |
| 24 | 25 | 26 | 27 | 28 | | |

# *January* • janvier

**13** Sunday *dimanche*

**14** Monday *lundi*

**15** Tuesday *mardi*

**16** Wednesday *mercredi*

**17** Thursday *jeudi*

**18** Friday *vendredi*

**19** Saturday *samedi*

Male Polar Bears
Churchill, Manitoba

*Ours blancs mâles, Churchill, Manitoba*

PHOTO: WAYNE LYNCH/
MASTERFILE

December • décembre

| s | m | t | w | t | f | s |
|---|---|---|---|---|---|---|
| | | | | | | 1 |
| 2 | 3 | 4 | 5 | 6 | 7 | 8 |
| 9 | 10 | 11 | 12 | 13 | 14 | 15 |
| 16 | 17 | 18 | 19 | 20 | 21 | 22 |
| 23 | 24 | 25 | 26 | 27 | 28 | 29 |
| 30 | 31 | | | | | |

January • janvier

| s | m | t | w | t | f | s |
|---|---|---|---|---|---|---|
| | | 1 | 2 | 3 | 4 | 5 |
| 6 | 7 | 8 | 9 | 10 | 11 | 12 |
| 13 | 14 | 15 | 16 | 17 | 18 | 19 |
| 20 | 21 | 22 | 23 | 24 | 25 | 26 |
| 27 | 28 | 29 | 30 | 31 | | |

February • février

| s | m | t | w | t | f | s |
|---|---|---|---|---|---|---|
| | | | | | 1 | 2 |
| 3 | 4 | 5 | 6 | 7 | 8 | 9 |
| 10 | 11 | 12 | 13 | 14 | 15 | 16 |
| 17 | 18 | 19 | 20 | 21 | 22 | 23 |
| 24 | 25 | 26 | 27 | 28 | | |

# *January* • janvier

**20** Sunday *dimanche*

**21** Monday *lundi*

**22** Tuesday *mardi*

**23** Wednesday *mercredi*

**24** Thursday *jeudi*

**25** Friday *vendredi*

**26** Saturday *samedi*

Iceberg
Northwest Territories

*Iceberg,*
*Territoires du Nord-Ouest*

PHOTO: JANET FOSTER/
MASTERFILE

December • décembre

| s | m | t | w | t | f | s |
|---|---|---|---|---|---|---|
| | | | | | | 1 |
| 2 | 3 | 4 | 5 | 6 | 7 | 8 |
| 9 | 10 | 11 | 12 | 13 | 14 | 15 |
| 16 | 17 | 18 | 19 | 20 | 21 | 22 |
| 23 | 24 | 25 | 26 | 27 | 28 | 29 |
| 30 | 31 | | | | | |

January • janvier

| s | m | t | w | t | f | s |
|---|---|---|---|---|---|---|
| | | 1 | 2 | 3 | 4 | 5 |
| 6 | 7 | 8 | 9 | 10 | 11 | 12 |
| 13 | 14 | 15 | 16 | 17 | 18 | 19 |
| 20 | 21 | 22 | 23 | 24 | 25 | 26 |
| 27 | 28 | 29 | 30 | 31 | | |

February • février

| s | m | t | w | t | f | s |
|---|---|---|---|---|---|---|
| | | | | | 1 | 2 |
| 3 | 4 | 5 | 6 | 7 | 8 | 9 |
| 10 | 11 | 12 | 13 | 14 | 15 | 16 |
| 17 | 18 | 19 | 20 | 21 | 22 | 23 |
| 24 | 25 | 26 | 27 | 28 | | |

# *January* • janvier

**27** Sunday *dimanche*

**28** Monday *lundi*

**29** Tuesday *mardi*

**30** Wednesday *mercredi*

**31** Thursday *jeudi*

**1** Friday *vendredi* February *février*

**2** Saturday *samedi*

Moonset at Sunrise
Banff National Park
Alberta

*Coucher de lune au lever du soleil, Parc national de Banff, Alberta*

PHOTO: J.A. KRAULIS/ MASTERFILE

December • décembre

| s | m | t | w | t | f | s |
|---|---|---|---|---|---|---|
| | | | | | | 1 |
| 2 | 3 | 4 | 5 | 6 | 7 | 8 |
| 9 | 10 | 11 | 12 | 13 | 14 | 15 |
| 16 | 17 | 18 | 19 | 20 | 21 | 22 |
| 23 | 24 | 25 | 26 | 27 | 28 | 29 |
| 30 | 31 | | | | | |

January • janvier

| s | m | t | w | t | f | s |
|---|---|---|---|---|---|---|
| | | 1 | 2 | 3 | 4 | 5 |
| 6 | 7 | 8 | 9 | 10 | 11 | 12 |
| 13 | 14 | 15 | 16 | 17 | 18 | 19 |
| 20 | 21 | 22 | 23 | 24 | 25 | 26 |
| 27 | 28 | 29 | 30 | 31 | | |

February • février

| s | m | t | w | t | f | s |
|---|---|---|---|---|---|---|
| | | | | | 1 | 2 |
| 3 | 4 | 5 | 6 | 7 | 8 | 9 |
| 10 | 11 | 12 | 13 | 14 | 15 | 16 |
| 17 | 18 | 19 | 20 | 21 | 22 | 23 |
| 24 | 25 | 26 | 27 | 28 | | |

# *February* · février

**3** Sunday *dimanche*

**4** Monday *lundi*

**5** Tuesday *mardi*

**6** Wednesday *mercredi*

**7** Thursday *jeudi*

**8** Friday *vendredi*

**9** Saturday *samedi*

White-tailed Jackrabbit
Saskatchewan

*Lièvre de Townsend, Saskatchewan*

PHOTO: WAYNE LYNCH/ MASTERFILE

January · janvier

| s | m | t | w | t | f | s |
|---|---|---|---|---|---|---|
| | | 1 | 2 | 3 | 4 | 5 |
| 6 | 7 | 8 | 9 | 10 | 11 | 12 |
| 13 | 14 | 15 | 16 | 17 | 18 | 19 |
| 20 | 21 | 22 | 23 | 24 | 25 | 26 |
| 27 | 28 | 29 | 30 | 31 | | |

February · février

| s | m | t | w | t | f | s |
|---|---|---|---|---|---|---|
| | | | | | 1 | 2 |
| 3 | 4 | 5 | 6 | 7 | 8 | 9 |
| 10 | 11 | 12 | 13 | 14 | 15 | 16 |
| 17 | 18 | 19 | 20 | 21 | 22 | 23 |
| 24 | 25 | 26 | 27 | 28 | | |

March · mars

| s | m | t | w | t | f | s |
|---|---|---|---|---|---|---|
| | | | | | 1 | 2 |
| 3 | 4 | 5 | 6 | 7 | 8 | 9 |
| 10 | 11 | 12 | 13 | 14 | 15 | 16 |
| 17 | 18 | 19 | 20 | 21 | 22 | 23 |
| 24 | 25 | 26 | 27 | 28 | 29 | 30 |
| 31 | | | | | | |

# *February* · février

**10** Sunday
*dimanche*

**11** Monday
*lundi*

**12** Tuesday
*mardi*

Shrove Tuesday
*Mardi gras*

**13** Wednesday
*mercredi*

Ash Wednesday
*Mercredi des Cendres*

**14** Thursday
*jeudi*

**15** Friday
*vendredi*

**16** Saturday
*samedi*

Mt. Rundle, Vermilion Lake, Banff National Park, Alberta

*Mont Rundle, lac Vermilion, Parc national de Banff, Alberta*

PHOTO: BILL BROOKS/ MASTERFILE

January · janvier

| s | m | t | w | t | f | s |
|---|---|---|---|---|---|---|
| | | 1 | 2 | 3 | 4 | 5 |
| 6 | 7 | 8 | 9 | 10 | 11 | 12 |
| 13 | 14 | 15 | 16 | 17 | 18 | 19 |
| 20 | 21 | 22 | 23 | 24 | 25 | 26 |
| 27 | 28 | 29 | 30 | 31 | | |

February · février

| s | m | t | w | t | f | s |
|---|---|---|---|---|---|---|
| | | | | | 1 | 2 |
| 3 | 4 | 5 | 6 | 7 | 8 | 9 |
| 10 | 11 | 12 | 13 | 14 | 15 | 16 |
| 17 | 18 | 19 | 20 | 21 | 22 | 23 |
| 24 | 25 | 26 | 27 | 28 | | |

March · mars

| s | m | t | w | t | f | s |
|---|---|---|---|---|---|---|
| | | | | | 1 | 2 |
| 3 | 4 | 5 | 6 | 7 | 8 | 9 |
| 10 | 11 | 12 | 13 | 14 | 15 | 16 |
| 17 | 18 | 19 | 20 | 21 | 22 | 23 |
| 24 | 25 | 26 | 27 | 28 | 29 | 30 |
| 31 | | | | | | |

# *February* • février

**17** Sunday *dimanche*

**18** Monday *lundi*

**19** Tuesday *mardi*

**20** Wednesday *mercredi*

**21** Thursday *jeudi*

**22** Friday *vendredi*

**23** Saturday *samedi*

Sunset
Slave River Lowlands
Northwest Territories

*Coucher de soleil, battures de la rivière Slave, Territoires du Nord-Ouest*

PHOTO: GEORGE CALEF/ MASTERFILE

January • janvier

| s | m | t | w | t | f | s |
|---|---|---|---|---|---|---|
| | | 1 | 2 | 3 | 4 | 5 |
| 6 | 7 | 8 | 9 | 10 | 11 | 12 |
| 13 | 14 | 15 | 16 | 17 | 18 | 19 |
| 20 | 21 | 22 | 23 | 24 | 25 | 26 |
| 27 | 28 | 29 | 30 | 31 | | |

February • février

| s | m | t | w | t | f | s |
|---|---|---|---|---|---|---|
| | | | | | 1 | 2 |
| 3 | 4 | 5 | 6 | 7 | 8 | 9 |
| 10 | 11 | 12 | 13 | 14 | 15 | 16 |
| 17 | 18 | 19 | 20 | 21 | 22 | 23 |
| 24 | 25 | 26 | 27 | 28 | | |

March • mars

| s | m | t | w | t | f | s |
|---|---|---|---|---|---|---|
| | | | | | 1 | 2 |
| 3 | 4 | 5 | 6 | 7 | 8 | 9 |
| 10 | 11 | 12 | 13 | 14 | 15 | 16 |
| 17 | 18 | 19 | 20 | 21 | 22 | 23 |
| 24 | 25 | 26 | 27 | 28 | 29 | 30 |
| 31 | | | | | | |

# *February* · février

**24** Sunday *dimanche*

**25** Monday *lundi*

**26** Tuesday *mardi*

**27** Wednesday *mercredi*

**28** Thursday *jeudi*

**1** Friday *vendredi* March *mars*

**2** Saturday *samedi*

Near Spences Bridge
British Columbia

*Près du pont Spences, Colombie-Britannique*

PHOTO: J.A. KRAULIS/
MASTERFILE

January · janvier

| s | m | t | w | t | f | s |
|---|---|---|---|---|---|---|
| | | 1 | 2 | 3 | 4 | 5 |
| 6 | 7 | 8 | 9 | 10 | 11 | 12 |
| 13 | 14 | 15 | 16 | 17 | 18 | 19 |
| 20 | 21 | 22 | 23 | 24 | 25 | 26 |
| 27 | 28 | 29 | 30 | 31 | | |

February · février

| s | m | t | w | t | f | s |
|---|---|---|---|---|---|---|
| | | | | | 1 | 2 |
| 3 | 4 | 5 | 6 | 7 | 8 | 9 |
| 10 | 11 | 12 | 13 | 14 | 15 | 16 |
| 17 | 18 | 19 | 20 | 21 | 22 | 23 |
| 24 | 25 | 26 | 27 | 28 | | |

March · mars

| s | m | t | w | t | f | s |
|---|---|---|---|---|---|---|
| | | | | | 1 | 2 |
| 3 | 4 | 5 | 6 | 7 | 8 | 9 |
| 10 | 11 | 12 | 13 | 14 | 15 | 16 |
| 17 | 18 | 19 | 20 | 21 | 22 | 23 |
| 24 | 25 | 26 | 27 | 28 | 29 | 30 |
| 31 | | | | | | |

# *March* · mars

**3** Sunday *dimanche*

**4** Monday *lundi*

**5** Tuesday *mardi*

**6** Wednesday *mercredi*

**7** Thursday *jeudi*

**8** Friday *vendredi*

**9** Saturday *samedi*

Pacific Ocean
Victoria,
British Columbia

*Océan Pacifique,*
*Victoria, Colombie-*
*Britannique*

PHOTO: TED GRANT/
MASTERFILE

February · février

| s | m | t | w | t | f | s |
|---|---|---|---|---|---|---|
| | | | | | 1 | 2 |
| 3 | 4 | 5 | 6 | 7 | 8 | 9 |
| 10 | 11 | 12 | 13 | 14 | 15 | 16 |
| 17 | 18 | 19 | 20 | 21 | 22 | 23 |
| 24 | 25 | 26 | 27 | 28 | | |

March · mars

| s | m | t | w | t | f | s |
|---|---|---|---|---|---|---|
| | | | | | 1 | 2 |
| 3 | 4 | 5 | 6 | 7 | 8 | 9 |
| 10 | 11 | 12 | 13 | 14 | 15 | 16 |
| 17 | 18 | 19 | 20 | 21 | 22 | 23 |
| 24 | 25 | 26 | 27 | 28 | 29 | 30 |
| 31 | | | | | | |

April · avril

| s | m | t | w | t | f | s |
|---|---|---|---|---|---|---|
| | 1 | 2 | 3 | 4 | 5 | 6 |
| 7 | 8 | 9 | 10 | 11 | 12 | 13 |
| 14 | 15 | 16 | 17 | 18 | 19 | 20 |
| 21 | 22 | 23 | 24 | 25 | 26 | 27 |
| 28 | 29 | 30 | | | | |

# *March* · mars

**10** Sunday *dimanche*

**11** Monday *lundi*

**12** Tuesday *mardi*

**13** Wednesday *mercredi*

**14** Thursday *jeudi*

**15** Friday *vendredi*

**16** Saturday *samedi*

Orange Hawkweed
Algonquin Provincial
Park, Ontario

*Épervières orangées*
*Parc provincial Algonquin,*
*Ontario*

PHOTO: BILL BROOKS/
MASTERFILE

February · février

| s | m | t | w | t | f | s |
|---|---|---|---|---|---|---|
| | | | | | 1 | 2 |
| 3 | 4 | 5 | 6 | 7 | 8 | 9 |
| 10 | 11 | 12 | 13 | 14 | 15 | 16 |
| 17 | 18 | 19 | 20 | 21 | 22 | 23 |
| 24 | 25 | 26 | 27 | 28 | | |

March · mars

| s | m | t | w | t | f | s |
|---|---|---|---|---|---|---|
| | | | | | 1 | 2 |
| 3 | 4 | 5 | 6 | 7 | 8 | 9 |
| 10 | 11 | 12 | 13 | 14 | 15 | 16 |
| 17 | 18 | 19 | 20 | 21 | 22 | 23 |
| 24 | 25 | 26 | 27 | 28 | 29 | 30 |
| 31 | | | | | | |

April · avril

| s | m | t | w | t | f | s |
|---|---|---|---|---|---|---|
| | 1 | 2 | 3 | 4 | 5 | 6 |
| 7 | 8 | 9 | 10 | 11 | 12 | 13 |
| 14 | 15 | 16 | 17 | 18 | 19 | 20 |
| 21 | 22 | 23 | 24 | 25 | 26 | 27 |
| 28 | 29 | 30 | | | | |

# *March* · mars

**17** Sunday *dimanche*

St. Patrick's Day
*La Saint-Patrice*

**18** Monday *lundi*

**19** Tuesday *mardi*

**20** Wednesday *mercredi*

**21** Thursday *jeudi*

**22** Friday *vendredi*

**23** Saturday *samedi*

Mackenzie River Delta
Northwest Territories

*Delta de la rivière Mackenzie, Territoires du Nord-Ouest*

PHOTO: J.A. KRAULIS/ MASTERFILE

February · février

| s | m | t | w | t | f | s |
|---|---|---|---|---|---|---|
| | | | | | 1 | 2 |
| 3 | 4 | 5 | 6 | 7 | 8 | 9 |
| 10 | 11 | 12 | 13 | 14 | 15 | 16 |
| 17 | 18 | 19 | 20 | 21 | 22 | 23 |
| 24 | 25 | 26 | 27 | 28 | | |

March · mars

| s | m | t | w | t | f | s |
|---|---|---|---|---|---|---|
| | | | | | 1 | 2 |
| 3 | 4 | 5 | 6 | 7 | 8 | 9 |
| 10 | 11 | 12 | 13 | 14 | 15 | 16 |
| 17 | 18 | 19 | 20 | 21 | 22 | 23 |
| 24 | 25 | 26 | 27 | 28 | 29 | 30 |
| 31 | | | | | | |

April · avril

| s | m | t | w | t | f | s |
|---|---|---|---|---|---|---|
| | 1 | 2 | 3 | 4 | 5 | 6 |
| 7 | 8 | 9 | 10 | 11 | 12 | 13 |
| 14 | 15 | 16 | 17 | 18 | 19 | 20 |
| 21 | 22 | 23 | 24 | 25 | 26 | 27 |
| 28 | 29 | 30 | | | | |

# *March* · mars

**24** Sunday *dimanche*

Palm Sunday
*Dimanche des Rameaux*

**25** Monday *lundi*

**26** Tuesday *mardi*

**27** Wednesday *mercredi*

**28** Thursday *jeudi*

**29** Friday *vendredi*

Good Friday
*Vendredi saint*

**30** Saturday *samedi*

Passover
*La Pâque juive*

Kluane Game Sanctuary Yukon

*Réserve faunique de Kluane, Yukon*

PHOTO: BILL BROOKS/ MASTERFILE

February · février

| s | m | t | w | t | f | s |
|---|---|---|---|---|---|---|
| | | | | | 1 | 2 |
| 3 | 4 | 5 | 6 | 7 | 8 | 9 |
| 10 | 11 | 12 | 13 | 14 | 15 | 16 |
| 17 | 18 | 19 | 20 | 21 | 22 | 23 |
| 24 | 25 | 26 | 27 | 28 | | |

March · mars

| s | m | t | w | t | f | s |
|---|---|---|---|---|---|---|
| | | | | | 1 | 2 |
| 3 | 4 | 5 | 6 | 7 | 8 | 9 |
| 10 | 11 | 12 | 13 | 14 | 15 | 16 |
| 17 | 18 | 19 | 20 | 21 | 22 | 23 |
| 24 | 25 | 26 | 27 | 28 | 29 | 30 |
| 31 | | | | | | |

April · avril

| s | m | t | w | t | f | s |
|---|---|---|---|---|---|---|
| | 1 | 2 | 3 | 4 | 5 | 6 |
| 7 | 8 | 9 | 10 | 11 | 12 | 13 |
| 14 | 15 | 16 | 17 | 18 | 19 | 20 |
| 21 | 22 | 23 | 24 | 25 | 26 | 27 |
| 28 | 29 | 30 | | | | |

# *March* · mars

**31** Sunday *dimanche*

Easter Sunday
*Dimanche de Pâques*

**1** Monday *lundi* April *avril*

Easter Monday
*Lundi de Pâques*

**2** Tuesday *mardi*

**3** Wednesday *mercredi*

**4** Thursday *jeudi*

**5** Friday *vendredi*

**6** Saturday *samedi*

Peggy's Cove
Nova Scotia

*Peggy's Cove*
*Nouvelle-Écosse*

PHOTO: GARRY BLACK/
MASTERFILE

February · février

| s | m | t | w | t | f | s |
|---|---|---|---|---|---|---|
| | | | | | 1 | 2 |
| 3 | 4 | 5 | 6 | 7 | 8 | 9 |
| 10 | 11 | 12 | 13 | 14 | 15 | 16 |
| 17 | 18 | 19 | 20 | 21 | 22 | 23 |
| 24 | 25 | 26 | 27 | 28 | | |

March · mars

| s | m | t | w | t | f | s |
|---|---|---|---|---|---|---|
| | | | | | 1 | 2 |
| 3 | 4 | 5 | 6 | 7 | 8 | 9 |
| 10 | 11 | 12 | 13 | 14 | 15 | 16 |
| 17 | 18 | 19 | 20 | 21 | 22 | 23 |
| 24 | 25 | 26 | 27 | 28 | 29 | 30 |
| 31 | | | | | | |

April · avril

| s | m | t | w | t | f | s |
|---|---|---|---|---|---|---|
| | 1 | 2 | 3 | 4 | 5 | 6 |
| 7 | 8 | 9 | 10 | 11 | 12 | 13 |
| 14 | 15 | 16 | 17 | 18 | 19 | 20 |
| 21 | 22 | 23 | 24 | 25 | 26 | 27 |
| 28 | 29 | 30 | | | | |

# *April* • avril

**7** Sunday *dimanche*

**8** Monday *lundi*

**9** Tuesday *mardi*

**10** Wednesday *mercredi*

**11** Thursday *jeudi*

**12** Friday *vendredi*

**13** Saturday *samedi*

South of Gang Ranch
Fraser Canyon
British Columbia

*Au sud du ranch Gang*
*Canyon Fraser*
*Colombie-Britannique*

PHOTO: J.A. KRAULIS/
MASTERFILE

March · mars

| s | m | t | w | t | f | s |
|---|---|---|---|---|---|---|
| | | | | | 1 | 2 |
| 3 | 4 | 5 | 6 | 7 | 8 | 9 |
| 10 | 11 | 12 | 13 | 14 | 15 | 16 |
| 17 | 18 | 19 | 20 | 21 | 22 | 23 |
| 24 | 25 | 26 | 27 | 28 | 29 | 30 |
| 31 | | | | | | |

April · avril

| s | m | t | w | t | f | s |
|---|---|---|---|---|---|---|
| | 1 | 2 | 3 | 4 | 5 | 6 |
| 7 | 8 | 9 | 10 | 11 | 12 | 13 |
| 14 | 15 | 16 | 17 | 18 | 19 | 20 |
| 21 | 22 | 23 | 24 | 25 | 26 | 27 |
| 28 | 29 | 30 | | | | |

May · mai

| s | m | t | w | t | f | s |
|---|---|---|---|---|---|---|
| | | | 1 | 2 | 3 | 4 |
| 5 | 6 | 7 | 8 | 9 | 10 | 11 |
| 12 | 13 | 14 | 15 | 16 | 17 | 18 |
| 19 | 20 | 21 | 22 | 23 | 24 | 25 |
| 26 | 27 | 28 | 29 | 30 | 31 | |

# *April* · avril

**14** Sunday *dimanche*

**15** Monday *lundi*

**16** Tuesday *mardi*

**17** Wednesday *mercredi*

**18** Thursday *jeudi*

**19** Friday *vendredi*

**20** Saturday *samedi*

Grain Elevator
Saskatchewan

*Élévateur à grain, Saskatchewan*

PHOTO: JOHN DE VISSER/
MASTERFILE

March · mars

| s | m | t | w | t | f | s |
|---|---|---|---|---|---|---|
| | | | | | 1 | 2 |
| 3 | 4 | 5 | 6 | 7 | 8 | 9 |
| 10 | 11 | 12 | 13 | 14 | 15 | 16 |
| 17 | 18 | 19 | 20 | 21 | 22 | 23 |
| 24 | 25 | 26 | 27 | 28 | 29 | 30 |
| 31 | | | | | | |

April · avril

| s | m | t | w | t | f | s |
|---|---|---|---|---|---|---|
| | 1 | 2 | 3 | 4 | 5 | 6 |
| 7 | 8 | 9 | 10 | 11 | 12 | 13 |
| 14 | 15 | 16 | 17 | 18 | 19 | 20 |
| 21 | 22 | 23 | 24 | 25 | 26 | 27 |
| 28 | 29 | 30 | | | | |

May · mai

| s | m | t | w | t | f | s |
|---|---|---|---|---|---|---|
| | | | 1 | 2 | 3 | 4 |
| 5 | 6 | 7 | 8 | 9 | 10 | 11 |
| 12 | 13 | 14 | 15 | 16 | 17 | 18 |
| 19 | 20 | 21 | 22 | 23 | 24 | 25 |
| 26 | 27 | 28 | 29 | 30 | 31 | |

# *April* · avril

**21** Sunday *dimanche*

**22** Monday *lundi*

**23** Tuesday *mardi*

**24** Wednesday *mercredi*

**25** Thursday *jeudi*

**26** Friday *vendredi*

**27** Saturday *samedi*

Near Edmonton
Alberta

*Près d'Edmonton,
Alberta*

PHOTO: DARYL BENSON/
MASTERFILE

March · mars

| s | m | t | w | t | f | s |
|---|---|---|---|---|---|---|
| | | | | | 1 | 2 |
| 3 | 4 | 5 | 6 | 7 | 8 | 9 |
| 10 | 11 | 12 | 13 | 14 | 15 | 16 |
| 17 | 18 | 19 | 20 | 21 | 22 | 23 |
| 24 | 25 | 26 | 27 | 28 | 29 | 30 |
| 31 | | | | | | |

April · avril

| s | m | t | w | t | f | s |
|---|---|---|---|---|---|---|
| | 1 | 2 | 3 | 4 | 5 | 6 |
| 7 | 8 | 9 | 10 | 11 | 12 | 13 |
| 14 | 15 | 16 | 17 | 18 | 19 | 20 |
| 21 | 22 | 23 | 24 | 25 | 26 | 27 |
| 28 | 29 | 30 | | | | |

May · mai

| s | m | t | w | t | f | s |
|---|---|---|---|---|---|---|
| | | | 1 | 2 | 3 | 4 |
| 5 | 6 | 7 | 8 | 9 | 10 | 11 |
| 12 | 13 | 14 | 15 | 16 | 17 | 18 |
| 19 | 20 | 21 | 22 | 23 | 24 | 25 |
| 26 | 27 | 28 | 29 | 30 | 31 | |

# *April* • avril

**28** Sunday *dimanche*

**29** Monday *lundi*

**30** Tuesday *mardi*

**1** Wednesday *mercredi* May *mai*

**2** Thursday *jeudi*

**3** Friday *vendredi*

**4** Saturday *samedi*

Wiwaxy Peak
Yoho National Park
British Columbia

*Mont Wiwaxy,*
*Parc national Yoho,*
*Colombie-Britannique*

PHOTO: J.A. KRAULIS/
MASTERFILE

March · mars

| s | m | t | w | t | f | s |
|---|---|---|---|---|---|---|
| | | | | | 1 | 2 |
| 3 | 4 | 5 | 6 | 7 | 8 | 9 |
| 10 | 11 | 12 | 13 | 14 | 15 | 16 |
| 17 | 18 | 19 | 20 | 21 | 22 | 23 |
| 24 | 25 | 26 | 27 | 28 | 29 | 30 |
| 31 | | | | | | |

April · avril

| s | m | t | w | t | f | s |
|---|---|---|---|---|---|---|
| | 1 | 2 | 3 | 4 | 5 | 6 |
| 7 | 8 | 9 | 10 | 11 | 12 | 13 |
| 14 | 15 | 16 | 17 | 18 | 19 | 20 |
| 21 | 22 | 23 | 24 | 25 | 26 | 27 |
| 28 | 29 | 30 | | | | |

May · mai

| s | m | t | w | t | f | s |
|---|---|---|---|---|---|---|
| | | | 1 | 2 | 3 | 4 |
| 5 | 6 | 7 | 8 | 9 | 10 | 11 |
| 12 | 13 | 14 | 15 | 16 | 17 | 18 |
| 19 | 20 | 21 | 22 | 23 | 24 | 25 |
| 26 | 27 | 28 | 29 | 30 | 31 | |

# *May* • mai

**5** Sunday *dimanche*

**6** Monday *lundi*

**7** Tuesday *mardi*

**8** Wednesday *mercredi*

**9** Thursday *jeudi*

**10** Friday *vendredi*

**11** Saturday *samedi*

Near Indian Head
Saskatchewan

*Près de Indian Head, Saskatchewan*

PHOTO: BILL BROOKS/
MASTERFILE

April • avril

| s | m | t | w | t | f | s |
|---|---|---|---|---|---|---|
| | 1 | 2 | 3 | 4 | 5 | 6 |
| 7 | 8 | 9 | 10 | 11 | 12 | 13 |
| 14 | 15 | 16 | 17 | 18 | 19 | 20 |
| 21 | 22 | 23 | 24 | 25 | 26 | 27 |
| 28 | 29 | 30 | | | | |

May • mai

| s | m | t | w | t | f | s |
|---|---|---|---|---|---|---|
| | | | 1 | 2 | 3 | 4 |
| 5 | 6 | 7 | 8 | 9 | 10 | 11 |
| 12 | 13 | 14 | 15 | 16 | 17 | 18 |
| 19 | 20 | 21 | 22 | 23 | 24 | 25 |
| 26 | 27 | 28 | 29 | 30 | 31 | |

June • juin

| s | m | t | w | t | f | s |
|---|---|---|---|---|---|---|
| | | | | | | 1 |
| 2 | 3 | 4 | 5 | 6 | 7 | 8 |
| 9 | 10 | 11 | 12 | 13 | 14 | 15 |
| 16 | 17 | 18 | 19 | 20 | 21 | 22 |
| 23 | 24 | 25 | 26 | 27 | 28 | 29 |
| 30 | | | | | | |

# *May* • mai

**12** Sunday
*dimanche*

Mother's Day
*Fêtes des mères*

**13** Monday
*lundi*

**14** Tuesday
*mardi*

**15** Wednesday
*mercredi*

**16** Thursday
*jeudi*

**17** Friday
*vendredi*

**18** Saturday
*samedi*

Gananoque River
Gananoque, Ontario

*Rivière Gananoque,*
*Gananoque, Ontario*

PHOTO: BILL BROOKS/
MASTERFILE

April • avril

| s | m | t | w | t | f | s |
|---|---|---|---|---|---|---|
| | 1 | 2 | 3 | 4 | 5 | 6 |
| 7 | 8 | 9 | 10 | 11 | 12 | 13 |
| 14 | 15 | 16 | 17 | 18 | 19 | 20 |
| 21 | 22 | 23 | 24 | 25 | 26 | 27 |
| 28 | 29 | 30 | | | | |

May • mai

| s | m | t | w | t | f | s |
|---|---|---|---|---|---|---|
| | | | 1 | 2 | 3 | 4 |
| 5 | 6 | 7 | 8 | 9 | 10 | 11 |
| 12 | 13 | 14 | 15 | 16 | 17 | 18 |
| 19 | 20 | 21 | 22 | 23 | 24 | 25 |
| 26 | 27 | 28 | 29 | 30 | 31 | |

June • juin

| s | m | t | w | t | f | s |
|---|---|---|---|---|---|---|
| | | | | | | 1 |
| 2 | 3 | 4 | 5 | 6 | 7 | 8 |
| 9 | 10 | 11 | 12 | 13 | 14 | 15 |
| 16 | 17 | 18 | 19 | 20 | 21 | 22 |
| 23 | 24 | 25 | 26 | 27 | 28 | 29 |
| 30 | | | | | | |

# *May* • mai

**19** Sunday *dimanche*

**20** Monday *lundi*

Victoria Day
*Fête de la reine Victoria*

**21** Tuesday *mardi*

**22** Wednesday *mercredi*

**23** Thursday *jeudi*

**24** Friday *vendredi*

**25** Saturday *samedi*

Cap Rouge, Cabot Trail
Cape Breton
Nova Scotia

*Cap Rouge, Cabot Trail,*
*Cap Breton,*
*Nouvelle-Écosse*

PHOTO: ROLAND WEBER/
MASTERFILE

April • avril

| s | m | t | w | t | f | s |
|---|---|---|---|---|---|---|
| | 1 | 2 | 3 | 4 | 5 | 6 |
| 7 | 8 | 9 | 10 | 11 | 12 | 13 |
| 14 | 15 | 16 | 17 | 18 | 19 | 20 |
| 21 | 22 | 23 | 24 | 25 | 26 | 27 |
| 28 | 29 | 30 | | | | |

May • mai

| s | m | t | w | t | f | s |
|---|---|---|---|---|---|---|
| | | | 1 | 2 | 3 | 4 |
| 5 | 6 | 7 | 8 | 9 | 10 | 11 |
| 12 | 13 | 14 | 15 | 16 | 17 | 18 |
| 19 | 20 | 21 | 22 | 23 | 24 | 25 |
| 26 | 27 | 28 | 29 | 30 | 31 | |

June • juin

| s | m | t | w | t | f | s |
|---|---|---|---|---|---|---|
| | | | | | | 1 |
| 2 | 3 | 4 | 5 | 6 | 7 | 8 |
| 9 | 10 | 11 | 12 | 13 | 14 | 15 |
| 16 | 17 | 18 | 19 | 20 | 21 | 22 |
| 23 | 24 | 25 | 26 | 27 | 28 | 29 |
| 30 | | | | | | |

# *May* • mai

**26** Sunday *dimanche*

**27** Monday *lundi*

**28** Tuesday *mardi*

**29** Wednesday *mercredi*

**30** Thursday *jeudi*

**31** Friday *vendredi*

**1** Saturday *samedi* June *juin*

Fireweed and Canola
Ravenna, Ontario

*Épilobe à feuilles étroites et canola, Ravenna, Ontario*

PHOTO: MARK TOMALTY/ MASTERFILE

April · avril

| s | m | t | w | t | f | s |
|---|---|---|---|---|---|---|
| | 1 | 2 | 3 | 4 | 5 | 6 |
| 7 | 8 | 9 | 10 | 11 | 12 | 13 |
| 14 | 15 | 16 | 17 | 18 | 19 | 20 |
| 21 | 22 | 23 | 24 | 25 | 26 | 27 |
| 28 | 29 | 30 | | | | |

May · mai

| s | m | t | w | t | f | s |
|---|---|---|---|---|---|---|
| | | | 1 | 2 | 3 | 4 |
| 5 | 6 | 7 | 8 | 9 | 10 | 11 |
| 12 | 13 | 14 | 15 | 16 | 17 | 18 |
| 19 | 20 | 21 | 22 | 23 | 24 | 25 |
| 26 | 27 | 28 | 29 | 30 | 31 | |

June · juin

| s | m | t | w | t | f | s |
|---|---|---|---|---|---|---|
| | | | | | | 1 |
| 2 | 3 | 4 | 5 | 6 | 7 | 8 |
| 9 | 10 | 11 | 12 | 13 | 14 | 15 |
| 16 | 17 | 18 | 19 | 20 | 21 | 22 |
| 23 | 24 | 25 | 26 | 27 | 28 | 29 |
| 30 | | | | | | |

# *June* • juin

**2** Sunday
*dimanche*

**3** Monday
*lundi*

**4** Tuesday
*mardi*

**5** Wednesday
*mercredi*

**6** Thursday
*jeudi*

**7** Friday
*vendredi*

**8** Saturday
*samedi*

Patricia Lake
Jasper National Park
Alberta

*Lac Patricia*
*Parc national de Jasper,*
*Alberta*

PHOTO: BILL BROOKS/
MASTERFILE

May · mai

| s | m | t | w | t | f | s |
|---|---|---|---|---|---|---|
| | | | 1 | 2 | 3 | 4 |
| 5 | 6 | 7 | 8 | 9 | 10 | 11 |
| 12 | 13 | 14 | 15 | 16 | 17 | 18 |
| 19 | 20 | 21 | 22 | 23 | 24 | 25 |
| 26 | 27 | 28 | 29 | 30 | 31 | |

June · juin

| s | m | t | w | t | f | s |
|---|---|---|---|---|---|---|
| | | | | | | 1 |
| 2 | 3 | 4 | 5 | 6 | 7 | 8 |
| 9 | 10 | 11 | 12 | 13 | 14 | 15 |
| 16 | 17 | 18 | 19 | 20 | 21 | 22 |
| 23 | 24 | 25 | 26 | 27 | 28 | 29 |
| 30 | | | | | | |

July · juillet

| s | m | t | w | t | f | s |
|---|---|---|---|---|---|---|
| | 1 | 2 | 3 | 4 | 5 | 6 |
| 7 | 8 | 9 | 10 | 11 | 12 | 13 |
| 14 | 15 | 16 | 17 | 18 | 19 | 20 |
| 21 | 22 | 23 | 24 | 25 | 26 | 27 |
| 28 | 29 | 30 | 31 | | | |

# *June* • juin

**9** Sunday *dimanche*

**10** Monday *lundi*

**11** Tuesday *mardi*

**12** Wednesday *mercredi*

**13** Thursday *jeudi*

**14** Friday *vendredi*

**15** Saturday *samedi*

Flowerpot Island
Georgian Bay, Ontario

*Île Flowerpot*
*Baie Georgienne, Ontario*

PHOTO: JANET FOSTER/
MASTERFILE

May • mai

| s | m | t | w | t | f | s |
|---|---|---|---|---|---|---|
| | | | 1 | 2 | 3 | 4 |
| 5 | 6 | 7 | 8 | 9 | 10 | 11 |
| 12 | 13 | 14 | 15 | 16 | 17 | 18 |
| 19 | 20 | 21 | 22 | 23 | 24 | 25 |
| 26 | 27 | 28 | 29 | 30 | 31 | |

June • juin

| s | m | t | w | t | f | s |
|---|---|---|---|---|---|---|
| | | | | | | 1 |
| 2 | 3 | 4 | 5 | 6 | 7 | 8 |
| 9 | 10 | 11 | 12 | 13 | 14 | 15 |
| 16 | 17 | 18 | 19 | 20 | 21 | 22 |
| 23 | 24 | 25 | 26 | 27 | 28 | 29 |
| 30 | | | | | | |

July • juillet

| s | m | t | w | t | f | s |
|---|---|---|---|---|---|---|
| | 1 | 2 | 3 | 4 | 5 | 6 |
| 7 | 8 | 9 | 10 | 11 | 12 | 13 |
| 14 | 15 | 16 | 17 | 18 | 19 | 20 |
| 21 | 22 | 23 | 24 | 25 | 26 | 27 |
| 28 | 29 | 30 | 31 | | | |

# *June* • juin

| | | |
|---|---|---|
| **16** | Sunday<br>*dimanche*<br><br>Father's Day<br>*Fête des pères* | |
| **17** | Monday<br>*lundi* | |
| **18** | Tuesday<br>*mardi* | |
| **19** | Wednesday<br>*mercredi* | |
| **20** | Thursday<br>*jeudi* | |
| **21** | Friday<br>*vendredi* | |
| **22** | Saturday<br>*samedi* | |

Alberta
*Alberta*

PHOTO: DARYL BENSON/
MASTERFILE

May • mai

| s | m | t | w | t | f | s |
|---|---|---|---|---|---|---|
| | | | 1 | 2 | 3 | 4 |
| 5 | 6 | 7 | 8 | 9 | 10 | 11 |
| 12 | 13 | 14 | 15 | 16 | 17 | 18 |
| 19 | 20 | 21 | 22 | 23 | 24 | 25 |
| 26 | 27 | 28 | 29 | 30 | 31 | |

June • juin

| s | m | t | w | t | f | s |
|---|---|---|---|---|---|---|
| | | | | | | 1 |
| 2 | 3 | 4 | 5 | 6 | 7 | 8 |
| 9 | 10 | 11 | 12 | 13 | 14 | 15 |
| 16 | 17 | 18 | 19 | 20 | 21 | 22 |
| 23 | 24 | 25 | 26 | 27 | 28 | 29 |
| 30 | | | | | | |

July • juillet

| s | m | t | w | t | f | s |
|---|---|---|---|---|---|---|
| | 1 | 2 | 3 | 4 | 5 | 6 |
| 7 | 8 | 9 | 10 | 11 | 12 | 13 |
| 14 | 15 | 16 | 17 | 18 | 19 | 20 |
| 21 | 22 | 23 | 24 | 25 | 26 | 27 |
| 28 | 29 | 30 | 31 | | | |

# *June* • juin

# 23
Sunday
*dimanche*

# 24
Monday
*lundi*

Quebec Day
*La Saint-Jean Baptiste*

# 25
Tuesday
*mardi*

# 26
Wednesday
*mercredi*

# 27
Thursday
*jeudi*

# 28
Friday
*vendredi*

# 29
Saturday
*samedi*

Canola Field
Russell, Manitoba

*Champ de canolas,*
*Russell, Manitoba*

PHOTO: BRIAN SYTNYK/
MASTERFILE

May • mai

| s | m | t | w | t | f | s |
|---|---|---|---|---|---|---|
| | | | 1 | 2 | 3 | 4 |
| 5 | 6 | 7 | 8 | 9 | 10 | 11 |
| 12 | 13 | 14 | 15 | 16 | 17 | 18 |
| 19 | 20 | 21 | 22 | 23 | 24 | 25 |
| 26 | 27 | 28 | 29 | 30 | 31 | |

June • juin

| s | m | t | w | t | f | s |
|---|---|---|---|---|---|---|
| | | | | | | 1 |
| 2 | 3 | 4 | 5 | 6 | 7 | 8 |
| 9 | 10 | 11 | 12 | 13 | 14 | 15 |
| 16 | 17 | 18 | 19 | 20 | 21 | 22 |
| 23 | 24 | 25 | 26 | 27 | 28 | 29 |
| 30 | | | | | | |

July • juillet

| s | m | t | w | t | f | s |
|---|---|---|---|---|---|---|
| | 1 | 2 | 3 | 4 | 5 | 6 |
| 7 | 8 | 9 | 10 | 11 | 12 | 13 |
| 14 | 15 | 16 | 17 | 18 | 19 | 20 |
| 21 | 22 | 23 | 24 | 25 | 26 | 27 |
| 28 | 29 | 30 | 31 | | | |

# *June* • juin

**30** Sunday *dimanche*

---

**1** Monday *lundi* July *juillet*

Canada Day
*Fête du Canada*

---

**2** Tuesday *mardi*

---

**3** Wednesday *mercredi*

---

**4** Thursday *jeudi*

Independence Day (U.S.A.)
*Jour de l'indépendance (É.-U.)*

---

**5** Friday *vendredi*

---

**6** Saturday *samedi*

---

Upper Vault Brook
Fundy National Park
New Brunswick

*Ruisseau Upper Vault*
*Parc national Fundy,*
*Nouveau-Brunswick*

PHOTO: MARK TOMALTY/
MASTERFILE

May · mai

| s | m | t | w | t | f | s |
|---|---|---|---|---|---|---|
| | | | 1 | 2 | 3 | 4 |
| 5 | 6 | 7 | 8 | 9 | 10 | 11 |
| 12 | 13 | 14 | 15 | 16 | 17 | 18 |
| 19 | 20 | 21 | 22 | 23 | 24 | 25 |
| 26 | 27 | 28 | 29 | 30 | 31 | |

June · juin

| s | m | t | w | t | f | s |
|---|---|---|---|---|---|---|
| | | | | | | 1 |
| 2 | 3 | 4 | 5 | 6 | 7 | 8 |
| 9 | 10 | 11 | 12 | 13 | 14 | 15 |
| 16 | 17 | 18 | 19 | 20 | 21 | 22 |
| 23 | 24 | 25 | 26 | 27 | 28 | 29 |
| 30 | | | | | | |

July · juillet

| s | m | t | w | t | f | s |
|---|---|---|---|---|---|---|
| | 1 | 2 | 3 | 4 | 5 | 6 |
| 7 | 8 | 9 | 10 | 11 | 12 | 13 |
| 14 | 15 | 16 | 17 | 18 | 19 | 20 |
| 21 | 22 | 23 | 24 | 25 | 26 | 27 |
| 28 | 29 | 30 | 31 | | | |

# *July* • juillet

**7** Sunday *dimanche*

**8** Monday *lundi*

**9** Tuesday *mardi*

**10** Wednesday *mercredi*

**11** Thursday *jeudi*

**12** Friday *vendredi*

**13** Saturday *samedi*

West Point
Prince Edward Island

*West point,*
*Île-du-Prince-Édouard*

PHOTO: BARRETT AND MACKAY/ MASTERFILE

June • juin

| s | m | t | w | t | f | s |
|---|---|---|---|---|---|---|
| | | | | | | 1 |
| 2 | 3 | 4 | 5 | 6 | 7 | 8 |
| 9 | 10 | 11 | 12 | 13 | 14 | 15 |
| 16 | 17 | 18 | 19 | 20 | 21 | 22 |
| 23 | 24 | 25 | 26 | 27 | 28 | 29 |
| 30 | | | | | | |

July • juillet

| s | m | t | w | t | f | s |
|---|---|---|---|---|---|---|
| | 1 | 2 | 3 | 4 | 5 | 6 |
| 7 | 8 | 9 | 10 | 11 | 12 | 13 |
| 14 | 15 | 16 | 17 | 18 | 19 | 20 |
| 21 | 22 | 23 | 24 | 25 | 26 | 27 |
| 28 | 29 | 30 | 31 | | | |

August • août

| s | m | t | w | t | f | s |
|---|---|---|---|---|---|---|
| | | | | 1 | 2 | 3 |
| 4 | 5 | 6 | 7 | 8 | 9 | 10 |
| 11 | 12 | 13 | 14 | 15 | 16 | 17 |
| 18 | 19 | 20 | 21 | 22 | 23 | 24 |
| 25 | 26 | 27 | 28 | 29 | 30 | 31 |

# *July* • juillet

**14** Sunday *dimanche*

**15** Monday *lundi*

**16** Tuesday *mardi*

**17** Wednesday *mercredi*

**18** Thursday *jeudi*

**19** Friday *vendredi*

**20** Saturday *samedi*

Kluane National Park
Yukon

*Parc national Kluane, Yukon*

PHOTO: J.A. KRAULIS/ MASTERFILE

June • juin

| s | m | t | w | t | f | s |
|---|---|---|---|---|---|---|
| | | | | | | 1 |
| 2 | 3 | 4 | 5 | 6 | 7 | 8 |
| 9 | 10 | 11 | 12 | 13 | 14 | 15 |
| 16 | 17 | 18 | 19 | 20 | 21 | 22 |
| 23 | 24 | 25 | 26 | 27 | 28 | 29 |
| 30 | | | | | | |

July • juillet

| s | m | t | w | t | f | s |
|---|---|---|---|---|---|---|
| | 1 | 2 | 3 | 4 | 5 | 6 |
| 7 | 8 | 9 | 10 | 11 | 12 | 13 |
| 14 | 15 | 16 | 17 | 18 | 19 | 20 |
| 21 | 22 | 23 | 24 | 25 | 26 | 27 |
| 28 | 29 | 30 | 31 | | | |

August • août

| s | m | t | w | t | f | s |
|---|---|---|---|---|---|---|
| | | | | 1 | 2 | 3 |
| 4 | 5 | 6 | 7 | 8 | 9 | 10 |
| 11 | 12 | 13 | 14 | 15 | 16 | 17 |
| 18 | 19 | 20 | 21 | 22 | 23 | 24 |
| 25 | 26 | 27 | 28 | 29 | 30 | 31 |

# *July* • juillet

**21** Sunday *dimanche*

**22** Monday *lundi*

**23** Tuesday *mardi*

**24** Wednesday *mercredi*

**25** Thursday *jeudi*

**26** Friday *vendredi*

**27** Saturday *samedi*

New Brunswick

*Nouveau-Brunswick*

PHOTO: BARRETT AND MACKAY/ MASTERFILE

June • juin

| s | m | t | w | t | f | s |
|---|---|---|---|---|---|---|
| | | | | | | 1 |
| 2 | 3 | 4 | 5 | 6 | 7 | 8 |
| 9 | 10 | 11 | 12 | 13 | 14 | 15 |
| 16 | 17 | 18 | 19 | 20 | 21 | 22 |
| 23 | 24 | 25 | 26 | 27 | 28 | 29 |
| 30 | | | | | | |

July • juillet

| s | m | t | w | t | f | s |
|---|---|---|---|---|---|---|
| | 1 | 2 | 3 | 4 | 5 | 6 |
| 7 | 8 | 9 | 10 | 11 | 12 | 13 |
| 14 | 15 | 16 | 17 | 18 | 19 | 20 |
| 21 | 22 | 23 | 24 | 25 | 26 | 27 |
| 28 | 29 | 30 | 31 | | | |

August • août

| s | m | t | w | t | f | s |
|---|---|---|---|---|---|---|
| | | | | 1 | 2 | 3 |
| 4 | 5 | 6 | 7 | 8 | 9 | 10 |
| 11 | 12 | 13 | 14 | 15 | 16 | 17 |
| 18 | 19 | 20 | 21 | 22 | 23 | 24 |
| 25 | 26 | 27 | 28 | 29 | 30 | 31 |

# *July* • juillet

**28** Sunday *dimanche*

**29** Monday *lundi*

**30** Tuesday *mardi*

**31** Wednesday *mercredi*

**1** Thursday *jeudi* August *août*

**2** Friday *vendredi*

**3** Saturday *samedi*

Perce Rock
Quebec

*Roché Percé,*
*Québec*

PHOTO: PIERRE ARSENAULT/
MASTERFILE

June • juin

| s | m | t | w | t | f | s |
|---|---|---|---|---|---|---|
| | | | | | | 1 |
| 2 | 3 | 4 | 5 | 6 | 7 | 8 |
| 9 | 10 | 11 | 12 | 13 | 14 | 15 |
| 16 | 17 | 18 | 19 | 20 | 21 | 22 |
| 23 | 24 | 25 | 26 | 27 | 28 | 29 |
| 30 | | | | | | |

July • juillet

| s | m | t | w | t | f | s |
|---|---|---|---|---|---|---|
| | 1 | 2 | 3 | 4 | 5 | 6 |
| 7 | 8 | 9 | 10 | 11 | 12 | 13 |
| 14 | 15 | 16 | 17 | 18 | 19 | 20 |
| 21 | 22 | 23 | 24 | 25 | 26 | 27 |
| 28 | 29 | 30 | 31 | | | |

August • août

| s | m | t | w | t | f | s |
|---|---|---|---|---|---|---|
| | | | | 1 | 2 | 3 |
| 4 | 5 | 6 | 7 | 8 | 9 | 10 |
| 11 | 12 | 13 | 14 | 15 | 16 | 17 |
| 18 | 19 | 20 | 21 | 22 | 23 | 24 |
| 25 | 26 | 27 | 28 | 29 | 30 | 31 |

# *August* · août

**4** Sunday
*dimanche*

**5** Monday
*lundi*

Civic Holiday
*Jour férié*

**6** Tuesday
*mardi*

**7** Wednesday
*mercredi*

**8** Thursday
*jeudi*

**9** Friday
*vendredi*

**10** Saturday
*samedi*

Lupins
Shampers Bluff
New Brunswick

*Lupins,*
*Shampers Bluff,*
*Nouveau-Brunswick*

PHOTO: FREEMAN PATTERSON/MASTERFILE

July · juillet

| s | m | t | w | t | f | s |
|---|---|---|---|---|---|---|
| | 1 | 2 | 3 | 4 | 5 | 6 |
| 7 | 8 | 9 | 10 | 11 | 12 | 13 |
| 14 | 15 | 16 | 17 | 18 | 19 | 20 |
| 21 | 22 | 23 | 24 | 25 | 26 | 27 |
| 28 | 29 | 30 | 31 | | | |

August · août

| s | m | t | w | t | f | s |
|---|---|---|---|---|---|---|
| | | | | 1 | 2 | 3 |
| 4 | 5 | 6 | 7 | 8 | 9 | 10 |
| 11 | 12 | 13 | 14 | 15 | 16 | 17 |
| 18 | 19 | 20 | 21 | 22 | 23 | 24 |
| 25 | 26 | 27 | 28 | 29 | 30 | 31 |

September · septembre

| s | m | t | w | t | f | s |
|---|---|---|---|---|---|---|
| 1 | 2 | 3 | 4 | 5 | 6 | 7 |
| 8 | 9 | 10 | 11 | 12 | 13 | 14 |
| 15 | 16 | 17 | 18 | 19 | 20 | 21 |
| 22 | 23 | 24 | 25 | 26 | 27 | 28 |
| 29 | 30 | | | | | |

# *August* • août

**11** Sunday
*dimanche*

**12** Monday
*lundi*

**13** Tuesday
*mardi*

**14** Wednesday
*mercredi*

**15** Thursday
*jeudi*

**16** Friday
*vendredi*

**17** Saturday
*samedi*

Near Economy Point
Nova Scotia

*Près d'Economy Point,*
*Nouvelle-Écosse*

PHOTO: FREEMAN PATTERSON/MASTERFILE

July · juillet

| s | m | t | w | t | f | s |
|---|---|---|---|---|---|---|
| | 1 | 2 | 3 | 4 | 5 | 6 |
| 7 | 8 | 9 | 10 | 11 | 12 | 13 |
| 14 | 15 | 16 | 17 | 18 | 19 | 20 |
| 21 | 22 | 23 | 24 | 25 | 26 | 27 |
| 28 | 29 | 30 | 31 | | | |

August · août

| s | m | t | w | t | f | s |
|---|---|---|---|---|---|---|
| | | | | 1 | 2 | 3 |
| 4 | 5 | 6 | 7 | 8 | 9 | 10 |
| 11 | 12 | 13 | 14 | 15 | 16 | 17 |
| 18 | 19 | 20 | 21 | 22 | 23 | 24 |
| 25 | 26 | 27 | 28 | 29 | 30 | 31 |

September · septembre

| s | m | t | w | t | f | s |
|---|---|---|---|---|---|---|
| 1 | 2 | 3 | 4 | 5 | 6 | 7 |
| 8 | 9 | 10 | 11 | 12 | 13 | 14 |
| 15 | 16 | 17 | 18 | 19 | 20 | 21 |
| 22 | 23 | 24 | 25 | 26 | 27 | 28 |
| 29 | 30 | | | | | |

# *August* · août

**18** Sunday *dimanche*

**19** Monday *lundi*

**20** Tuesday *mardi*

**21** Wednesday *mercredi*

**22** Thursday *jeudi*

**23** Friday *vendredi*

**24** Saturday *samedi*

Cape Traverse
Prince Edward Island

*Cap Traverse,*
*Île-du-Prince-Édouard*

PHOTO: BARRETT AND MACKAY/ MASTERFILE

July · juillet

| s | m | t | w | t | f | s |
|---|---|---|---|---|---|---|
| | 1 | 2 | 3 | 4 | 5 | 6 |
| 7 | 8 | 9 | 10 | 11 | 12 | 13 |
| 14 | 15 | 16 | 17 | 18 | 19 | 20 |
| 21 | 22 | 23 | 24 | 25 | 26 | 27 |
| 28 | 29 | 30 | 31 | | | |

August · août

| s | m | t | w | t | f | s |
|---|---|---|---|---|---|---|
| | | | | 1 | 2 | 3 |
| 4 | 5 | 6 | 7 | 8 | 9 | 10 |
| 11 | 12 | 13 | 14 | 15 | 16 | 17 |
| 18 | 19 | 20 | 21 | 22 | 23 | 24 |
| 25 | 26 | 27 | 28 | 29 | 30 | 31 |

September · septembre

| s | m | t | w | t | f | s |
|---|---|---|---|---|---|---|
| 1 | 2 | 3 | 4 | 5 | 6 | 7 |
| 8 | 9 | 10 | 11 | 12 | 13 | 14 |
| 15 | 16 | 17 | 18 | 19 | 20 | 21 |
| 22 | 23 | 24 | 25 | 26 | 27 | 28 |
| 29 | 30 | | | | | |

# *August* · août

**25** Sunday *dimanche*

**26** Monday *lundi*

**27** Tuesday *mardi*

**28** Wednesday *mercredi*

**29** Thursday *jeudi*

**30** Friday *vendredi*

**31** Saturday *samedi*

Pacific Rim
National Park
British Columbia

*Parc national*
*Pacific Rim,*
*Colombie-Britannique*

PHOTO: J.A. KRAULIS/
MASTERFILE

July · juillet

| s | m | t | w | t | f | s |
|---|---|---|---|---|---|---|
| | 1 | 2 | 3 | 4 | 5 | 6 |
| 7 | 8 | 9 | 10 | 11 | 12 | 13 |
| 14 | 15 | 16 | 17 | 18 | 19 | 20 |
| 21 | 22 | 23 | 24 | 25 | 26 | 27 |
| 28 | 29 | 30 | 31 | | | |

August · août

| s | m | t | w | t | f | s |
|---|---|---|---|---|---|---|
| | | | | 1 | 2 | 3 |
| 4 | 5 | 6 | 7 | 8 | 9 | 10 |
| 11 | 12 | 13 | 14 | 15 | 16 | 17 |
| 18 | 19 | 20 | 21 | 22 | 23 | 24 |
| 25 | 26 | 27 | 28 | 29 | 30 | 31 |

September · septembre

| s | m | t | w | t | f | s |
|---|---|---|---|---|---|---|
| 1 | 2 | 3 | 4 | 5 | 6 | 7 |
| 8 | 9 | 10 | 11 | 12 | 13 | 14 |
| 15 | 16 | 17 | 18 | 19 | 20 | 21 |
| 22 | 23 | 24 | 25 | 26 | 27 | 28 |
| 29 | 30 | | | | | |

# *September* · septembre

**1** Sunday
*dimanche*

**2** Monday
*lundi*

Labour Day
*Fête du travail*

**3** Tuesday
*mardi*

**4** Wednesday
*mercredi*

**5** Thursday
*jeudi*

**6** Friday
*vendredi*

**7** Saturday
*samedi*

Labrador Coastline
*Rives du Labrador*

PHOTO: JANET FOSTER/
MASTERFILE

August · août

| s | m | t | w | t | f | s |
|---|---|---|---|---|---|---|
| | | | | 1 | 2 | 3 |
| 4 | 5 | 6 | 7 | 8 | 9 | 10 |
| 11 | 12 | 13 | 14 | 15 | 16 | 17 |
| 18 | 19 | 20 | 21 | 22 | 23 | 24 |
| 25 | 26 | 27 | 28 | 29 | 30 | 31 |

September · septembre

| s | m | t | w | t | f | s |
|---|---|---|---|---|---|---|
| 1 | 2 | 3 | 4 | 5 | 6 | 7 |
| 8 | 9 | 10 | 11 | 12 | 13 | 14 |
| 15 | 16 | 17 | 18 | 19 | 20 | 21 |
| 22 | 23 | 24 | 25 | 26 | 27 | 28 |
| 29 | 30 | | | | | |

October · octobre

| s | m | t | w | t | f | s |
|---|---|---|---|---|---|---|
| | | 1 | 2 | 3 | 4 | 5 |
| 6 | 7 | 8 | 9 | 10 | 11 | 12 |
| 13 | 14 | 15 | 16 | 17 | 18 | 19 |
| 20 | 21 | 22 | 23 | 24 | 25 | 26 |
| 27 | 28 | 29 | 30 | 31 | | |

# *September* · septembre

**8** Sunday *dimanche*

**9** Monday *lundi*

Rosh Hashanah
*Rosh Hashanah*

**10** Tuesday *mardi*

**11** Wednesday *mercredi*

**12** Thursday *jeudi*

**13** Friday *vendredi*

**14** Saturday *samedi*

Fireweed
Yukon

*Épilobes à feuilles étroites, Yukon*

PHOTO: JANET GREEN/
MASTERFILE

August · août

| s | m | t | w | t | f | s |
|---|---|---|---|---|---|---|
| | | | | 1 | 2 | 3 |
| 4 | 5 | 6 | 7 | 8 | 9 | 10 |
| 11 | 12 | 13 | 14 | 15 | 16 | 17 |
| 18 | 19 | 20 | 21 | 22 | 23 | 24 |
| 25 | 26 | 27 | 28 | 29 | 30 | 31 |

September · septembre

| s | m | t | w | t | f | s |
|---|---|---|---|---|---|---|
| 1 | 2 | 3 | 4 | 5 | 6 | 7 |
| 8 | 9 | 10 | 11 | 12 | 13 | 14 |
| 15 | 16 | 17 | 18 | 19 | 20 | 21 |
| 22 | 23 | 24 | 25 | 26 | 27 | 28 |
| 29 | 30 | | | | | |

October · octobre

| s | m | t | w | t | f | s |
|---|---|---|---|---|---|---|
| | | 1 | 2 | 3 | 4 | 5 |
| 6 | 7 | 8 | 9 | 10 | 11 | 12 |
| 13 | 14 | 15 | 16 | 17 | 18 | 19 |
| 20 | 21 | 22 | 23 | 24 | 25 | 26 |
| 27 | 28 | 29 | 30 | 31 | | |

# *September* · septembre

**15** Sunday
*dimanche*

**16** Monday
*lundi*

**17** Tuesday
*mardi*

**18** Wednesday
*mercredi*

Yom Kippur
*Yom Kippur*

**19** Thursday
*jeudi*

**20** Friday
*vendredi*

**21** Saturday
*samedi*

Mississippi River
Ontario

*Rivière Mississippi, Ontario*

PHOTO: HANS BLOHM/
MASTERFILE

August · août

| s | m | t | w | t | f | s |
|---|---|---|---|---|---|---|
| | | | | 1 | 2 | 3 |
| 4 | 5 | 6 | 7 | 8 | 9 | 10 |
| 11 | 12 | 13 | 14 | 15 | 16 | 17 |
| 18 | 19 | 20 | 21 | 22 | 23 | 24 |
| 25 | 26 | 27 | 28 | 29 | 30 | 31 |

September · septembre

| s | m | t | w | t | f | s |
|---|---|---|---|---|---|---|
| 1 | 2 | 3 | 4 | 5 | 6 | 7 |
| 8 | 9 | 10 | 11 | 12 | 13 | 14 |
| 15 | 16 | 17 | 18 | 19 | 20 | 21 |
| 22 | 23 | 24 | 25 | 26 | 27 | 28 |
| 29 | 30 | | | | | |

October · octobre

| s | m | t | w | t | f | s |
|---|---|---|---|---|---|---|
| | | 1 | 2 | 3 | 4 | 5 |
| 6 | 7 | 8 | 9 | 10 | 11 | 12 |
| 13 | 14 | 15 | 16 | 17 | 18 | 19 |
| 20 | 21 | 22 | 23 | 24 | 25 | 26 |
| 27 | 28 | 29 | 30 | 31 | | |

# *September* · septembre

**22** Sunday *dimanche*

**23** Monday *lundi*

**24** Tuesday *mardi*

**25** Wednesday *mercredi*

**26** Thursday *jeudi*

**27** Friday *vendredi*

**28** Saturday *samedi*

Prairie Sky
*Ciel des prairies*

PHOTO: JANET FOSTER/
MASTERFILE

August · août

| s | m | t | w | t | f | s |
|---|---|---|---|---|---|---|
| | | | | 1 | 2 | 3 |
| 4 | 5 | 6 | 7 | 8 | 9 | 10 |
| 11 | 12 | 13 | 14 | 15 | 16 | 17 |
| 18 | 19 | 20 | 21 | 22 | 23 | 24 |
| 25 | 26 | 27 | 28 | 29 | 30 | 31 |

September · septembre

| s | m | t | w | t | f | s |
|---|---|---|---|---|---|---|
| 1 | 2 | 3 | 4 | 5 | 6 | 7 |
| 8 | 9 | 10 | 11 | 12 | 13 | 14 |
| 15 | 16 | 17 | 18 | 19 | 20 | 21 |
| 22 | 23 | 24 | 25 | 26 | 27 | 28 |
| 29 | 30 | | | | | |

October · octobre

| s | m | t | w | t | f | s |
|---|---|---|---|---|---|---|
| | | 1 | 2 | 3 | 4 | 5 |
| 6 | 7 | 8 | 9 | 10 | 11 | 12 |
| 13 | 14 | 15 | 16 | 17 | 18 | 19 |
| 20 | 21 | 22 | 23 | 24 | 25 | 26 |
| 27 | 28 | 29 | 30 | 31 | | |

# *September* · septembre

**29** Sunday *dimanche*

**30** Monday *lundi*

**1** Tuesday *mardi* October *Octobre*

**2** Wednesday *mercredi*

**3** Thursday *jeudi*

**4** Friday *vendredi*

**5** Saturday *samedi*

Sunflowers
Near Portage La Prairie
Manitoba

*Tournesols, près de Portage La Prairie. Manitoba*

PHOTO: BILL BROOKS/ MASTERFILE

August · août

| s | m | t | w | t | f | s |
|---|---|---|---|---|---|---|
| | | | | 1 | 2 | 3 |
| 4 | 5 | 6 | 7 | 8 | 9 | 10 |
| 11 | 12 | 13 | 14 | 15 | 16 | 17 |
| 18 | 19 | 20 | 21 | 22 | 23 | 24 |
| 25 | 26 | 27 | 28 | 29 | 30 | 31 |

September · septembre

| s | m | t | w | t | f | s |
|---|---|---|---|---|---|---|
| 1 | 2 | 3 | 4 | 5 | 6 | 7 |
| 8 | 9 | 10 | 11 | 12 | 13 | 14 |
| 15 | 16 | 17 | 18 | 19 | 20 | 21 |
| 22 | 23 | 24 | 25 | 26 | 27 | 28 |
| 29 | 30 | | | | | |

October · octobre

| s | m | t | w | t | f | s |
|---|---|---|---|---|---|---|
| | | 1 | 2 | 3 | 4 | 5 |
| 6 | 7 | 8 | 9 | 10 | 11 | 12 |
| 13 | 14 | 15 | 16 | 17 | 18 | 19 |
| 20 | 21 | 22 | 23 | 24 | 25 | 26 |
| 27 | 28 | 29 | 30 | 31 | | |

# *October* · octobre

**6** Sunday *dimanche*

**7** Monday *lundi*

**8** Tuesday *mardi*

**9** Wednesday *mercredi*

**10** Thursday *jeudi*

**11** Friday *vendredi*

**12** Saturday *samedi*

Three Hills
Alberta

*Three Hills,*
*Alberta*

PHOTO: SHERMAN HINES/
MASTERFILE

September · septembre

| s | m | t | w | t | f | s |
|---|---|---|---|---|---|---|
| 1 | 2 | 3 | 4 | 5 | 6 | 7 |
| 8 | 9 | 10 | 11 | 12 | 13 | 14 |
| 15 | 16 | 17 | 18 | 19 | 20 | 21 |
| 22 | 23 | 24 | 25 | 26 | 27 | 28 |
| 29 | 30 | | | | | |

October · octobre

| s | m | t | w | t | f | s |
|---|---|---|---|---|---|---|
| | | 1 | 2 | 3 | 4 | 5 |
| 6 | 7 | 8 | 9 | 10 | 11 | 12 |
| 13 | 14 | 15 | 16 | 17 | 18 | 19 |
| 20 | 21 | 22 | 23 | 24 | 25 | 26 |
| 27 | 28 | 29 | 30 | 31 | | |

November · novembre

| s | m | t | w | t | f | s |
|---|---|---|---|---|---|---|
| | | | | | 1 | 2 |
| 3 | 4 | 5 | 6 | 7 | 8 | 9 |
| 10 | 11 | 12 | 13 | 14 | 15 | 16 |
| 17 | 18 | 19 | 20 | 21 | 22 | 23 |
| 24 | 25 | 26 | 27 | 28 | 29 | 30 |

# ***October*** · octobre

**13** Sunday *dimanche*

---

**14** Monday *lundi*

Thanksgiving Day
*Action de grâces*

---

**15** Tuesday *mardi*

---

**16** Wednesday *mercredi*

---

**17** Thursday *jeudi*

---

**18** Friday *vendredi*

---

**19** Saturday *samedi*

---

Near Clinton, Ontario

*Près de Clinton, Ontario*

PHOTO: FREEMAN PATTERSON/MASTERFILE

September · septembre

| s | m | t | w | t | f | s |
|---|---|---|---|---|---|---|
| 1 | 2 | 3 | 4 | 5 | 6 | 7 |
| 8 | 9 | 10 | 11 | 12 | 13 | 14 |
| 15 | 16 | 17 | 18 | 19 | 20 | 21 |
| 22 | 23 | 24 | 25 | 26 | 27 | 28 |
| 29 | 30 | | | | | |

October · octobre

| s | m | t | w | t | f | s |
|---|---|---|---|---|---|---|
| | | 1 | 2 | 3 | 4 | 5 |
| 6 | 7 | 8 | 9 | 10 | 11 | 12 |
| 13 | 14 | 15 | 16 | 17 | 18 | 19 |
| 20 | 21 | 22 | 23 | 24 | 25 | 26 |
| 27 | 28 | 29 | 30 | 31 | | |

November · novembre

| s | m | t | w | t | f | s |
|---|---|---|---|---|---|---|
| | | | | | 1 | 2 |
| 3 | 4 | 5 | 6 | 7 | 8 | 9 |
| 10 | 11 | 12 | 13 | 14 | 15 | 16 |
| 17 | 18 | 19 | 20 | 21 | 22 | 23 |
| 24 | 25 | 26 | 27 | 28 | 29 | 30 |

# ***October*** • octobre

**20** Sunday *dimanche*

**21** Monday *lundi*

**22** Tuesday *mardi*

**23** Wednesday *mercredi*

**24** Thursday *jeudi*

**25** Friday *vendredi*

**26** Saturday *samedi*

Fishing weir
Pelee Island, Ontario

*Bordigue,*
*Île Pelée, Ontario*

PHOTO: J.A.KRAULIS/
MASTERFILE

September • septembre

| s | m | t | w | t | f | s |
|---|---|---|---|---|---|---|
| 1 | 2 | 3 | 4 | 5 | 6 | 7 |
| 8 | 9 | 10 | 11 | 12 | 13 | 14 |
| 15 | 16 | 17 | 18 | 19 | 20 | 21 |
| 22 | 23 | 24 | 25 | 26 | 27 | 28 |
| 29 | 30 | | | | | |

October • octobre

| s | m | t | w | t | f | s |
|---|---|---|---|---|---|---|
| | | 1 | 2 | 3 | 4 | 5 |
| 6 | 7 | 8 | 9 | 10 | 11 | 12 |
| 13 | 14 | 15 | 16 | 17 | 18 | 19 |
| 20 | 21 | 22 | 23 | 24 | 25 | 26 |
| 27 | 28 | 29 | 30 | 31 | | |

November • novembre

| s | m | t | w | t | f | s |
|---|---|---|---|---|---|---|
| | | | | | 1 | 2 |
| 3 | 4 | 5 | 6 | 7 | 8 | 9 |
| 10 | 11 | 12 | 13 | 14 | 15 | 16 |
| 17 | 18 | 19 | 20 | 21 | 22 | 23 |
| 24 | 25 | 26 | 27 | 28 | 29 | 30 |

# *October* • octobre

**27** Sunday *dimanche*

**28** Monday *lundi*

**29** Tuesday *mardi*

**30** Wednesday *mercredi*

**31** Thursday *jeudi*

Halloween
*Veille de la Toussaint*

**1** Friday *vendredi* November *novembre*

**2** Saturday *samedi*

Tundra, Hudson Bay
Post, Wager Bay
Northwest Territories

*Tundra, poste de la baie d'Hudson, Baie Wager, Territoires du Nord-Ouest*

PHOTO: GEORGE CALEF/
MASTERFILE

September · septembre

| s | m | t | w | t | f | s |
|---|---|---|---|---|---|---|
| 1 | 2 | 3 | 4 | 5 | 6 | 7 |
| 8 | 9 | 10 | 11 | 12 | 13 | 14 |
| 15 | 16 | 17 | 18 | 19 | 20 | 21 |
| 22 | 23 | 24 | 25 | 26 | 27 | 28 |
| 29 | 30 | | | | | |

October · octobre

| s | m | t | w | t | f | s |
|---|---|---|---|---|---|---|
| | | 1 | 2 | 3 | 4 | 5 |
| 6 | 7 | 8 | 9 | 10 | 11 | 12 |
| 13 | 14 | 15 | 16 | 17 | 18 | 19 |
| 20 | 21 | 22 | 23 | 24 | 25 | 26 |
| 27 | 28 | 29 | 30 | 31 | | |

November · novembre

| s | m | t | w | t | f | s |
|---|---|---|---|---|---|---|
| | | | | | 1 | 2 |
| 3 | 4 | 5 | 6 | 7 | 8 | 9 |
| 10 | 11 | 12 | 13 | 14 | 15 | 16 |
| 17 | 18 | 19 | 20 | 21 | 22 | 23 |
| 24 | 25 | 26 | 27 | 28 | 29 | 30 |

# *November* · novembre

**3** Sunday *dimanche*

**4** Monday *lundi*

**5** Tuesday *mardi*

**6** Wednesday *mercredi*

**7** Thursday *jeudi*

**8** Friday *vendredi*

**9** Saturday *samedi*

Mt. Rundle and Aspens
Banff National Park,
Alberta

*Mont Rundle et trembles*
*Parc national de Banff,*
*Alberta*

PHOTO: J.A. KRAULIS/
MASTERFILE

October · octobre

| s | m | t | w | t | f | s |
|---|---|---|---|---|---|---|
| | | 1 | 2 | 3 | 4 | 5 |
| 6 | 7 | 8 | 9 | 10 | 11 | 12 |
| 13 | 14 | 15 | 16 | 17 | 18 | 19 |
| 20 | 21 | 22 | 23 | 24 | 25 | 26 |
| 27 | 28 | 29 | 30 | 31 | | |

November · novembre

| s | m | t | w | t | f | s |
|---|---|---|---|---|---|---|
| | | | | | 1 | 2 |
| 3 | 4 | 5 | 6 | 7 | 8 | 9 |
| 10 | 11 | 12 | 13 | 14 | 15 | 16 |
| 17 | 18 | 19 | 20 | 21 | 22 | 23 |
| 24 | 25 | 26 | 27 | 28 | 29 | 30 |

December · décembre

| s | m | t | w | t | f | s |
|---|---|---|---|---|---|---|
| 1 | 2 | 3 | 4 | 5 | 6 | 7 |
| 8 | 9 | 10 | 11 | 12 | 13 | 14 |
| 15 | 16 | 17 | 18 | 19 | 20 | 21 |
| 22 | 23 | 24 | 25 | 26 | 27 | 28 |
| 29 | 30 | 31 | | | | |

# *November* · novembre

**10** Sunday
*dimanche*

**11** Monday
*lundi*

Remembrance Day
*Jour du souvenir*

**12** Tuesday
*mardi*

**13** Wednesday
*mercredi*

**14** Thursday
*jeudi*

**15** Friday
*vendredi*

**16** Saturday
*samedi*

Taylor Lake
Gatineau Park
Quebec

*Lac Taylor*
*Parc de la Gatineau,*
*Québec*

PHOTO: HANS BLOHM/
MASTERFILE

October · octobre

| s | m | t | w | t | f | s |
|---|---|---|---|---|---|---|
| | | 1 | 2 | 3 | 4 | 5 |
| 6 | 7 | 8 | 9 | 10 | 11 | 12 |
| 13 | 14 | 15 | 16 | 17 | 18 | 19 |
| 20 | 21 | 22 | 23 | 24 | 25 | 26 |
| 27 | 28 | 29 | 30 | 31 | | |

November · novembre

| s | m | t | w | t | f | s |
|---|---|---|---|---|---|---|
| | | | | | 1 | 2 |
| 3 | 4 | 5 | 6 | 7 | 8 | 9 |
| 10 | 11 | 12 | 13 | 14 | 15 | 16 |
| 17 | 18 | 19 | 20 | 21 | 22 | 23 |
| 24 | 25 | 26 | 27 | 28 | 29 | 30 |

December · décembre

| s | m | t | w | t | f | s |
|---|---|---|---|---|---|---|
| 1 | 2 | 3 | 4 | 5 | 6 | 7 |
| 8 | 9 | 10 | 11 | 12 | 13 | 14 |
| 15 | 16 | 17 | 18 | 19 | 20 | 21 |
| 22 | 23 | 24 | 25 | 26 | 27 | 28 |
| 29 | 30 | 31 | | | | |

# *November* · novembre

**17** Sunday *dimanche*

**18** Monday *lundi*

**19** Tuesday *mardi*

**20** Wednesday *mercredi*

**21** Thursday *jeudi*

**22** Friday *vendredi*

**23** Saturday *samedi*

Yukon
*Yukon*

PHOTO: SHERMAN HINES/
MASTERFILE

October · octobre

| s | m | t | w | t | f | s |
|---|---|---|---|---|---|---|
| | | 1 | 2 | 3 | 4 | 5 |
| 6 | 7 | 8 | 9 | 10 | 11 | 12 |
| 13 | 14 | 15 | 16 | 17 | 18 | 19 |
| 20 | 21 | 22 | 23 | 24 | 25 | 26 |
| 27 | 28 | 29 | 30 | 31 | | |

November · novembre

| s | m | t | w | t | f | s |
|---|---|---|---|---|---|---|
| | | | | | 1 | 2 |
| 3 | 4 | 5 | 6 | 7 | 8 | 9 |
| 10 | 11 | 12 | 13 | 14 | 15 | 16 |
| 17 | 18 | 19 | 20 | 21 | 22 | 23 |
| 24 | 25 | 26 | 27 | 28 | 29 | 30 |

December · décembre

| s | m | t | w | t | f | s |
|---|---|---|---|---|---|---|
| 1 | 2 | 3 | 4 | 5 | 6 | 7 |
| 8 | 9 | 10 | 11 | 12 | 13 | 14 |
| 15 | 16 | 17 | 18 | 19 | 20 | 21 |
| 22 | 23 | 24 | 25 | 26 | 27 | 28 |
| 29 | 30 | 31 | | | | |

# *November* · novembre

**24** Sunday *dimanche*

**25** Monday *lundi*

**26** Tuesday *mardi*

**27** Wednesday *mercredi*

**28** Thursday *jeudi*

Thanksgiving Day (U.S.A.)
*Action de grâces (É.-U.)*

**29** Friday *vendredi*

**30** Saturday *samedi*

Shampers Bluff
New Brunswick

*Shampers Bluff,*
*Nouveau-Brunswick*

PHOTO: FREEMAN PATTERSON/MASTERFILE

October · octobre

| s | m | t | w | t | f | s |
|---|---|---|---|---|---|---|
| | | 1 | 2 | 3 | 4 | 5 |
| 6 | 7 | 8 | 9 | 10 | 11 | 12 |
| 13 | 14 | 15 | 16 | 17 | 18 | 19 |
| 20 | 21 | 22 | 23 | 24 | 25 | 26 |
| 27 | 28 | 29 | 30 | 31 | | |

November · novembre

| s | m | t | w | t | f | s |
|---|---|---|---|---|---|---|
| | | | | | 1 | 2 |
| 3 | 4 | 5 | 6 | 7 | 8 | 9 |
| 10 | 11 | 12 | 13 | 14 | 15 | 16 |
| 17 | 18 | 19 | 20 | 21 | 22 | 23 |
| 24 | 25 | 26 | 27 | 28 | 29 | 30 |

December · décembre

| s | m | t | w | t | f | s |
|---|---|---|---|---|---|---|
| 1 | 2 | 3 | 4 | 5 | 6 | 7 |
| 8 | 9 | 10 | 11 | 12 | 13 | 14 |
| 15 | 16 | 17 | 18 | 19 | 20 | 21 |
| 22 | 23 | 24 | 25 | 26 | 27 | 28 |
| 29 | 30 | 31 | | | | |

# *December* • décembre

**1** Sunday
*dimanche*

**2** Monday
*lundi*

Hanukkah
*Hanukkah*

**3** Tuesday
*mardi*

**4** Wednesday
*mercredi*

**5** Thursday
*jeudi*

**6** Friday
*vendredi*

**7** Saturday
*samedi*

Alberta
*Alberta*

PHOTO: JOHN DE VISSER/
MASTERFILE

November • novembre

| s | m | t | w | t | f | s |
|---|---|---|---|---|---|---|
| | | | | | 1 | 2 |
| 3 | 4 | 5 | 6 | 7 | 8 | 9 |
| 10 | 11 | 12 | 13 | 14 | 15 | 16 |
| 17 | 18 | 19 | 20 | 21 | 22 | 23 |
| 24 | 25 | 26 | 27 | 28 | 29 | 30 |

December • décembre

| s | m | t | w | t | f | s |
|---|---|---|---|---|---|---|
| 1 | 2 | 3 | 4 | 5 | 6 | 7 |
| 8 | 9 | 10 | 11 | 12 | 13 | 14 |
| 15 | 16 | 17 | 18 | 19 | 20 | 21 |
| 22 | 23 | 24 | 25 | 26 | 27 | 28 |
| 29 | 30 | 31 | | | | |

January • janvier

| s | m | t | w | t | f | s |
|---|---|---|---|---|---|---|
| | | | 1 | 2 | 3 | 4 |
| 5 | 6 | 7 | 8 | 9 | 10 | 11 |
| 12 | 13 | 14 | 15 | 16 | 17 | 18 |
| 19 | 20 | 21 | 22 | 23 | 24 | 25 |
| 26 | 27 | 28 | 29 | 30 | 31 | |

# *December* · décembre

**8** Sunday
*dimanche*

**9** Monday
*lundi*

**10** Tuesday
*mardi*

**11** Wednesday
*mercredi*

**12** Thursday
*jeudi*

**13** Friday
*vendredi*

**14** Saturday
*samedi*

Snow Geese
Quebec

*Oies blanches,*
*Québec*

PHOTO: JOHN FOSTER/
MASTERFILE

November · novembre

| s | m | t | w | t | f | s |
|---|---|---|---|---|---|---|
| | | | | | 1 | 2 |
| 3 | 4 | 5 | 6 | 7 | 8 | 9 |
| 10 | 11 | 12 | 13 | 14 | 15 | 16 |
| 17 | 18 | 19 | 20 | 21 | 22 | 23 |
| 24 | 25 | 26 | 27 | 28 | 29 | 30 |

December · décembre

| s | m | t | w | t | f | s |
|---|---|---|---|---|---|---|
| 1 | 2 | 3 | 4 | 5 | 6 | 7 |
| 8 | 9 | 10 | 11 | 12 | 13 | 14 |
| 15 | 16 | 17 | 18 | 19 | 20 | 21 |
| 22 | 23 | 24 | 25 | 26 | 27 | 28 |
| 29 | 30 | 31 | | | | |

January · janvier

| s | m | t | w | t | f | s |
|---|---|---|---|---|---|---|
| | | | 1 | 2 | 3 | 4 |
| 5 | 6 | 7 | 8 | 9 | 10 | 11 |
| 12 | 13 | 14 | 15 | 16 | 17 | 18 |
| 19 | 20 | 21 | 22 | 23 | 24 | 25 |
| 26 | 27 | 28 | 29 | 30 | 31 | |

# *December* · décembre

**15** Sunday *dimanche*

**16** Monday *lundi*

**17** Tuesday *mardi*

**18** Wednesday *mercredi*

**19** Thursday *jeudi*

**20** Friday *vendredi*

**21** Saturday *samedi*

Frost on
Blueberry Plants
New Brunswick

*Gelée sur les bleuets*
*Nouveau-Brunswick*

PHOTO: FREEMAN
PATTERSON/MASTERFILE

November · novembre

| s | m | t | w | t | f | s |
|---|---|---|---|---|---|---|
| | | | | | 1 | 2 |
| 3 | 4 | 5 | 6 | 7 | 8 | 9 |
| 10 | 11 | 12 | 13 | 14 | 15 | 16 |
| 17 | 18 | 19 | 20 | 21 | 22 | 23 |
| 24 | 25 | 26 | 27 | 28 | 29 | 30 |

December · décembre

| s | m | t | w | t | f | s |
|---|---|---|---|---|---|---|
| 1 | 2 | 3 | 4 | 5 | 6 | 7 |
| 8 | 9 | 10 | 11 | 12 | 13 | 14 |
| 15 | 16 | 17 | 18 | 19 | 20 | 21 |
| 22 | 23 | 24 | 25 | 26 | 27 | 28 |
| 29 | 30 | 31 | | | | |

January · janvier

| s | m | t | w | t | f | s |
|---|---|---|---|---|---|---|
| | | | 1 | 2 | 3 | 4 |
| 5 | 6 | 7 | 8 | 9 | 10 | 11 |
| 12 | 13 | 14 | 15 | 16 | 17 | 18 |
| 19 | 20 | 21 | 22 | 23 | 24 | 25 |
| 26 | 27 | 28 | 29 | 30 | 31 | |

# *December* · décembre

**22** Sunday
*dimanche*

**23** Monday
*lundi*

**24** Tuesday
*mardi*

**25** Wednesday
*mercredi*

Christmas Day
*Noël*

**26** Thursday
*jeudi*

Boxing Day
*Lendemain de Noël*

**27** Friday
*vendredi*

**28** Saturday
*samedi*

Rocky Mountains
British Columbia

*Montagnes Rocheuses*
*Colombie-Britannique*

PHOTO: JOHN DE VISSER/
MASTERFILE

November · novembre

| s | m | t | w | t | f | s |
|---|---|---|---|---|---|---|
| | | | | | 1 | 2 |
| 3 | 4 | 5 | 6 | 7 | 8 | 9 |
| 10 | 11 | 12 | 13 | 14 | 15 | 16 |
| 17 | 18 | 19 | 20 | 21 | 22 | 23 |
| 24 | 25 | 26 | 27 | 28 | 29 | 30 |

December · décembre

| s | m | t | w | t | f | s |
|---|---|---|---|---|---|---|
| 1 | 2 | 3 | 4 | 5 | 6 | 7 |
| 8 | 9 | 10 | 11 | 12 | 13 | 14 |
| 15 | 16 | 17 | 18 | 19 | 20 | 21 |
| 22 | 23 | 24 | 25 | 26 | 27 | 28 |
| 29 | 30 | 31 | | | | |

January · janvier

| s | m | t | w | t | f | s |
|---|---|---|---|---|---|---|
| | | | 1 | 2 | 3 | 4 |
| 5 | 6 | 7 | 8 | 9 | 10 | 11 |
| 12 | 13 | 14 | 15 | 16 | 17 | 18 |
| 19 | 20 | 21 | 22 | 23 | 24 | 25 |
| 26 | 27 | 28 | 29 | 30 | 31 | |

# *December* · décembre

**29** Sunday
*dimanche*

**30** Monday
*lundi*

**31** Tuesday
*mardi*

**1** Wednesday — January, 1992
*mercredi* — *janvier, 1992*

New Year's Day
*Jour de l'an*

**2** Thursday
*jeudi*

**3** Friday
*vendredi*

**4** Saturday
*samedi*

Rivière à Simon
Laurentians, Quebec

*Rivière à Simon,*
*Laurentides, Québec*

PHOTO: ROLAND WEBER/
MASTERFILE

November · novembre

| s | m | t | w | t | f | s |
|---|---|---|---|---|---|---|
| | | | | | 1 | 2 |
| 3 | 4 | 5 | 6 | 7 | 8 | 9 |
| 10 | 11 | 12 | 13 | 14 | 15 | 16 |
| 17 | 18 | 19 | 20 | 21 | 22 | 23 |
| 24 | 25 | 26 | 27 | 28 | 29 | 30 |

December · décembre

| s | m | t | w | t | f | s |
|---|---|---|---|---|---|---|
| 1 | 2 | 3 | 4 | 5 | 6 | 7 |
| 8 | 9 | 10 | 11 | 12 | 13 | 14 |
| 15 | 16 | 17 | 18 | 19 | 20 | 21 |
| 22 | 23 | 24 | 25 | 26 | 27 | 28 |
| 29 | 30 | 31 | | | | |

January · janvier

| s | m | t | w | t | f | s |
|---|---|---|---|---|---|---|
| | | | 1 | 2 | 3 | 4 |
| 5 | 6 | 7 | 8 | 9 | 10 | 11 |
| 12 | 13 | 14 | 15 | 16 | 17 | 18 |
| 19 | 20 | 21 | 22 | 23 | 24 | 25 |
| 26 | 27 | 28 | 29 | 30 | 31 | |

# 1992

January • janvier

| s | m | t | w | t | f | s |
|---|---|---|---|---|---|---|
| | | | 1 | 2 | 3 | 4 |
| 5 | 6 | 7 | 8 | 9 | 10 | 11 |
| 12 | 13 | 14 | 15 | 16 | 17 | 18 |
| 19 | 20 | 21 | 22 | 23 | 24 | 25 |
| 26 | 27 | 28 | 29 | 30 | 31 | |

February • février

| s | m | t | w | t | f | s |
|---|---|---|---|---|---|---|
| | | | | | | 1 |
| 2 | 3 | 4 | 5 | 6 | 7 | 8 |
| 9 | 10 | 11 | 12 | 13 | 14 | 15 |
| 16 | 17 | 18 | 19 | 20 | 21 | 22 |
| 23 | 24 | 25 | 26 | 27 | 28 | 29 |

March • mars

| s | m | t | w | t | f | s |
|---|---|---|---|---|---|---|
| 1 | 2 | 3 | 4 | 5 | 6 | 7 |
| 8 | 9 | 10 | 11 | 12 | 13 | 14 |
| 15 | 16 | 17 | 18 | 19 | 20 | 21 |
| 22 | 23 | 24 | 25 | 26 | 27 | 28 |
| 29 | 30 | 31 | | | | |

April • avril

| s | m | t | w | t | f | s |
|---|---|---|---|---|---|---|
| | | | 1 | 2 | 3 | 4 |
| 5 | 6 | 7 | 8 | 9 | 10 | 1 |
| 12 | 13 | 14 | 15 | 16 | 17 | 1 |
| 19 | 20 | 21 | 22 | 23 | 24 | 2 |
| 26 | 27 | 28 | 29 | 30 | | |

May • mai

| s | m | t | w | t | f | s |
|---|---|---|---|---|---|---|
| | | | | | 1 | 2 |
| 3 | 4 | 5 | 6 | 7 | 8 | 9 |
| 10 | 11 | 12 | 13 | 14 | 15 | 16 |
| 17 | 18 | 19 | 20 | 21 | 22 | 23 |
| 24 | 25 | 26 | 27 | 28 | 29 | 30 |
| 31 | | | | | | |

June • juin

| s | m | t | w | t | f | s |
|---|---|---|---|---|---|---|
| | 1 | 2 | 3 | 4 | 5 | 6 |
| 7 | 8 | 9 | 10 | 11 | 12 | 13 |
| 14 | 15 | 16 | 17 | 18 | 19 | 20 |
| 21 | 22 | 23 | 24 | 25 | 26 | 27 |
| 28 | 29 | 30 | | | | |

July • juillet

| s | m | t | w | t | f | s |
|---|---|---|---|---|---|---|
| | | | 1 | 2 | 3 | 4 |
| 5 | 6 | 7 | 8 | 9 | 10 | 11 |
| 12 | 13 | 14 | 15 | 16 | 17 | 18 |
| 19 | 20 | 21 | 22 | 23 | 24 | 25 |
| 26 | 27 | 28 | 29 | 30 | 31 | |

August • août

| s | m | t | w | t | f | |
|---|---|---|---|---|---|---|
| | | | | | | |
| 2 | 3 | 4 | 5 | 6 | 7 | 8 |
| 9 | 10 | 11 | 12 | 13 | 14 | 1 |
| 16 | 17 | 18 | 19 | 20 | 21 | 2 |
| 23 | 24 | 25 | 26 | 27 | 28 | 2 |
| 30 | 31 | | | | | |

September • septembre

| s | m | t | w | t | f | s |
|---|---|---|---|---|---|---|
| | | 1 | 2 | 3 | 4 | 5 |
| 6 | 7 | 8 | 9 | 10 | 11 | 12 |
| 13 | 14 | 15 | 16 | 17 | 18 | 19 |
| 20 | 21 | 22 | 23 | 24 | 25 | 26 |
| 27 | 28 | 29 | 30 | | | |

October • octobre

| s | m | t | w | t | f | s |
|---|---|---|---|---|---|---|
| | | | | 1 | 2 | 3 |
| 4 | 5 | 6 | 7 | 8 | 9 | 10 |
| 11 | 12 | 13 | 14 | 15 | 16 | 17 |
| 18 | 19 | 20 | 21 | 22 | 23 | 24 |
| 25 | 26 | 27 | 28 | 29 | 30 | 31 |

November • novembre

| s | m | t | w | t | f | s |
|---|---|---|---|---|---|---|
| 1 | 2 | 3 | 4 | 5 | 6 | 7 |
| 8 | 9 | 10 | 11 | 12 | 13 | 14 |
| 15 | 16 | 17 | 18 | 19 | 20 | 21 |
| 22 | 23 | 24 | 25 | 26 | 27 | 28 |
| 29 | 30 | | | | | |

December • décembre

| s | m | t | w | t | f | |
|---|---|---|---|---|---|---|
| | | 1 | 2 | 3 | 4 | |
| 6 | 7 | 8 | 9 | 10 | 11 | 1 |
| 13 | 14 | 15 | 16 | 17 | 18 | 1 |
| 20 | 21 | 22 | 23 | 24 | 25 | 2 |
| 27 | 28 | 29 | 30 | 31 | | |